講談社選書メチエ
795

〈序文〉の戦略

文学作品をめぐる攻防

松尾 大

MÉTIER

〈序文〉の戦略◉目次

凡例

・外国語文献のうち一次資料、つまり分析対象となるテクストについては、既存の訳があるものでも、原則として自分の訳を用いた。誤訳は論外であるが、意味は正しくとらえていても、レトリックや言語行為は意味だけでなく表現にも関わるので、それをはっきりさせる訳が必要だったからである。そのため、こなれない日本語になっているものも少なくないが、ご寛恕願いたい。

・文中および引用文中で用いた記号類については、以下のとおりである。

《　》　術語
〈　〉　或る思考内容ないし命題内容を対象化して示す場合に用いる
傍点　原文でイタリック体などで強調されている箇所（あるいは原文が全体としてはイタリック体で、そこだけ立体になっている箇所）
傍線　強調のために本書の著者が付けたもの
……　本書の著者による省略箇所
〔　〕　本書の著者による補足・注記

・統合以前については「イギリス」ではなく「イングランド」と書くのが正確だが、煩瑣を避けるため「イギリス」で統一した。

序　論

文学作品の公表がさまざまな告発、非難、攻撃、異議をまねく（と想定される）ことはしばしばある。その場合、著者（またはその代理人、代弁者、関係者など）は沈黙をまもることもできる。学術論文でもよくあることだが、盗用だと指摘されたとき、嵐が過ぎさるまで七五日間だんまりを決めこむ人もいるようである。言いわけしないのが美徳だという武士道的精神にしたがって無言をつらぬく人もいるかもしれない。中には、自分はつねに正しく、批判はすべて間違っていると確信して黙殺する猛者もいるだろう。

しかし弁明、正当化、謝罪、説明を表明する（用心深い、あるいは几帳面な、あるいは小心な、あるいは律儀な、あるいは読者との交流好きな、あるいは暇な）著者も少なくない。そういう言語行為をする場は、攻撃の的であるテクストの周辺に配備されたテクスト、つまりはフランスの文学理論家ジェラール・ジュネットの言う「パラテクスト（paratexte）」である（ジュネット 二〇〇一参照）（むろん本文テクスト内部でも、ウェイン・C・ブースの言う「論評（commentary）」（ブース 一九九一、二六一頁）によって著者は自分自身の声を響かせ、テクストについての弁明もできるが、それには作品世界から作品自体への指示の切り替えという特別な操作が要求される）。ボディーガードが要人の周辺に配置されるようなものである。

ジュネットはパラテクストを二種に分けている。もともとの作品に密着した「ペリテクスト(péritexte)」——タイトル、序文など——と、それとは別の「エピテクスト(épitexte)」——インタビュー記事とか、独立にだされる声明文など——である。本書は文学作品のペリテクスト——特に序文——において、著者、あるいは著者の代理人、代弁者、関係者が読者に対して遂行する説得行為を、さまざまな理論装置を使って分析することを目的としている。そこに描き出されるのは、攻撃に対して防御するために、文学者らが戦略と戦術の限りを尽くして対処するさまである。

むろん序文の機能はそれだけではない。執筆過程を記述したり、本文の構成を示したりすることもあろう(この「序論」でも最後にそれが置かれている)。その場合もレトリックは使われる。しかし攻撃に対する防御という機能では、法廷闘争の技術として誕生、発展したレトリックの本領が、最も蒸留され、最も先鋭化された姿で現れる。

さて文学書に対する攻撃にもさまざまなものがある。作品の出来についての酷評もあれば、剽窃、盗用だという告発もある。神を冒瀆し道徳を退廃させると検閲によって断罪され発禁になることもある。教育のある人しか、あるいは男性しか書いてはいけないものを、教育のない人、あるいは女性が書いたといって攻撃されることもある。そもそも文学なぞは百害あって一利なしのしろものであるという、身もふたもない全否定もある。その攻撃の内容が深刻であればあるほど、防御の動機も切実なものとなる。パラテクストは使用可能なレトリックを総動員して、必死の説得を試みる。その切実さは、戦争犯罪で告発された人が自伝において自分の行為に対する謝罪や反省、弁明や正当化を試みる場合さながらである。

最後に本書の対象と構成について。本書はイギリスを中心とした近代のヨーロッパ文学をおもな対象に選んでいる。[1] 序文というジャンルはそこにおいて最も輝きをはなっているからである。構成であるが、全体は二つの部分にわかれる。第Ⅰ部では序文テクストを記述する性能のよいさまざまな理論を具体例とともに提示する。それらは対象にそれぞれ別の角度から光をあてるので、序文の戦略を立体的に浮かび上がらせることができるだろう。第Ⅱ部では文学が攻撃される訴因別に実例を分析する。第Ⅱ部を構成する一〇の章のうち、前半の第7章から第11章は文学以外の領域にも現れる問題、つまり瀆神、猥褻、剽窃、背徳と反体制、性別や人種に関する規範に対する違反を扱う。後半の第12章から第16章は文学に固有の問題を扱う。

第Ⅰ部

序文の防御戦略を記述するさまざまな理論

第1章　伝統レトリック

伝統レトリックは弁論の技術として古代ギリシアで誕生した。[1] 紀元前五世紀にシケリア（現在のシシリー）島で土地の所有権をめぐる訴訟が頻発する状況になり、法廷で勝訴するためには高度の技術が要求されたので、それに応じる専門家が生まれたのである。コラクスやティシアスといった名が法廷弁論の技術を最初に整備した人として伝えられている。

この二人については面白い逸話がある。裁判で勝訴するほどのレトリックの力量を習得できたら謝礼を支払うという条件でティシアスはコラクスに入門した。しかし習得後も支払わないので師は弟子を告訴し、〈自分が勝訴したら、判決に従って支払うべきであり、自分が敗訴したら、勝訴するほどの力量を身に付けさせたのだから、やはり支払う義務がある〉と主張した。これに対して弟子は〈自分が敗訴したら入門の条件に従い支払い義務はないし、勝訴したら判決に従い支払い義務はない〉と切り返した。レトリック用語で《両刀論法》、《両刀論法反転》と呼ばれるこの技法（佐藤・佐々木・松尾 二〇〇六、六二八―六三〇頁）は、「ああ言えばこう言う」たちの悪い屁理屈の見本と見ることもできるが、他方、「与えられたどんなことについても説得手段を見いだす能力」（『弁論術』一三五五b三一―三二）というアリストテレス（前三八四―前三二二年）によるレトリックの定義に照らせば、あながち非難だけ浴びせるわけにもいくまい。事実アリストテレスは《両刀論法反転》をレトリックの技法の一つとして登録しているくらいである（同書、一三九九ａ二六）。いずれにせよこの師匠と弟子によって生み出されたレトリックは、古代ギリシアのアテナイ（現在のアテネ）でも、古代ローマでも整備され続け、技術体系として完成されていった。この段階では法廷、議会、儀式での弁論がその三つの部門だった。そのあと伝統レトリックは口頭弁論だけでなく書き言葉にも、そして言語芸術にまでその領域を広げてゆく。

法廷モデル

そのように広大な領域を擁する伝統レトリックであるが、文学作品の序文と特別な関係を持っているのは三つの部門のうちの法廷レトリックである。序文はいろいろなものに喩えられてきた。たとえば敷居（ジュネット 二〇〇一、一二頁）、武具（教父ヒエロニムスは兜に（Hieronymus 1889, col. 600）、イタリア・ルネッサンスの詩人トルクァート・タッソは盾に（Tasso 1852, p. 185）、アメリカの作家シドニー・ラニアは鎧に（Lanier 1867, p. iii）パラテクストを喩えている）、劇場（Cáffaro 2017）、窓、鏡、地図（Crawley 2020）、宿屋の看板（Lawrence 1773, pp. i-ii）、海図（Usborne 1842, p. v）、着物（French 1834, p. iv）にである。これに対して、法廷で弁護機能を果たすものに喩えられることもある。イギリスの小説家フランク・エドワード・スメドレー（一八一八―六四年）は『コルヴィル家の運命』（一八五三年）の序文で、法廷に出す陳述書という比喩で序文を形容している。

『エディンバラ・レビュー』の昨年一〇月号には、序文とは「裁判所での「答弁」の役割を批評の法廷で果たす文書で、この両者の間には必然的な類比関係があるから、「論拠」が予審の申し立てを支えないなら、その結果は却下である」という正確な定義がある。……著作という向こう見ずな行為ゆえに「批評の法廷」に召喚された不運な著者は「答弁を提出する」——つまり自著がそうあってほしいと望むすべてのことについて予審の申し立てをする——よう直ちに期待される。そして、もし「論拠」がこの申し立てを支えないなら「その結果は却下である」。この恐ろしい語句になんらかの意味があるとすれば、それはその書が人びとの趣味に合っておらず、哀れな著者の「論拠」がきわめて嘆かわしいものであるということに他ならない。(Smedley 1853, pp. v-vi)

これは序文について論ずる序文、つまりは《メタ序文的》序文だが、本文が低価値、無価値、反価値であるという論告を受けないために予め本文を弁護する役割を序文に与えている。また、イギリスの著作家ウィリアム・レイナーは『雑録』(一七六七年)序文で「序文なしで出版される本は、法廷助言者なしで出廷する人のようなものである」(Rayner 1767, p. iv)と、弁護機能を持つ人に序文を喩えている。法廷が序文を理解するためのモデルであることはこれらの証言からわかる。

問題状況

序文が法廷をモデルにしていることから、法廷レトリックの多くの技法で序文のレトリックを記述することができる（レトリックは制作のツールであると同時に説明のツールでもある）。といっても本書でそのすべての技法が取り上げられるわけではない。伝統レトリックは《発想》、《配置》、《修辞》、《記憶》、《発表》という五つの部分から成り、それぞれ多くの技法をかかえているが、法廷レトリックの固有性は特に《発想》において現れる。したがって本書は《発想》部門で示される法廷レトリックの中核ともいえる論法を分析手段として使うことになる。

それらの概略は以下のように示される。大きなグループをなすのは、《問題状況（status）》の分類と《論証のフィギュール》の分類である（佐藤・佐々木・松尾 二〇〇六、第4部「論証の《あや》」参照）。《問題状況》には《定義の問題状況（status finitionis）》、《性質の問題状況（status qualitatis）》、《転移の問題状況（status translationis）》などがある。

定義の問題状況

《定義の問題状況》とは対象が何と定義されるかが問題となる状況である。名称レベルと内包レベルの二つがある。前者は或るものが別の名をつけられるべきとする場合、後者は、名はそれでよいが、その名に別の内包が与えられるべきとする場合である。イギリスの牧師・詩人・小説家リチャード・グレイヴス（一七一五—一八〇四年）が『コルメラ』（一七七九年）の扉におけるジャンル表示として通常の「小説」でなく「口語による物語（colloquial tale）」を使っているのは前者の例である。その命名の理由は献辞で説明されている。

以下の物語の中心主題は現実の事実であるから、すぐれた学者とその友人たちがそれを小説とかロマンスと呼ばないようお願いする。彼らはそのジャンルの作品の公然の敵であるから。
(Graves 1779, pp. iii-iv)

「詩」という名称には異存ないが、内包を変えるよう要請するイギリスの詩人ウィリアム・ワーズワース（一七七〇―一八五〇年）は後者の例である。『抒情民謡集』（一七九八年）の「告知」（美学史上に有名な「序文」とは異なる）にこうある。

最近の多くの著者の派手で空虚なことば使いに慣れている読者は、本書を最後まで読み通すなら、おそらく違和感、困惑という感情としばしば戦わなければならないだろう。読者は詩を探し回り、いかなる種類の合意でこれらの試みが詩という名を名乗るのを許されるのかと問いたくなるだろう。そういう読者は、彼ら自身のために、きわめて議論の分かれる意味を持つ詩という孤立した語が享受の妨げにならないようにするのが望ましい。(Wordsworth and Coleridge 1911, pp. i-ii)

ワーズワースのこの詩集は通念的な詩とは異なっているので、「詩」という語の通常の定義を一時棚上げするよう読者に要請している。

性質の問題状況：比較論法、転送論法、譲歩論法、哀訴、量の問題状況

《性質の問題状況》とは行為の是非善悪が問題となる場合である。ここではいくつかの論法が使われる。《比較論法（comparatio）》は、行為によって引き起こされた不正を、それによって生じた利益と比較するものである。芸術作品に転用されると、一つの作品の長所、短所をそれぞれ合計して比較するという手法となる。フランスの作家ピエール・ショデルロ・ド・ラクロ（一七四一―一八〇三年）の『危険な関係』（一七八二年）の本文を弁護する序文が例となろう。多くの手紙の集積という設定ゆえに読者の注意が散漫になってしまうこと、そして感情が真正でなく見せかけのものであることを認めたうえで、

これらの欠点は、やはり作品の本性に含まれる一つの質によって部分的には埋め合わされるだろう。その質とは文体の多様性である。（Laclos 1782, p. 14）

と述べている。

《転送論法（remotio）》も《性質の問題状況》で使われる。これは責任を他の人やものに押し付ける論法である。一八世紀のイギリスの小説『美しいめかけ』（一七三二年）の「読者へ」で匿名の著者は

ヴァネッラの生涯の以下の叙述を提供するために、最もよい、最も定評のある著者から素材を集める際、いかなる注意も、苦労も惜しまなかった……これらを私がそこから収集した歴史が疑わ

しい、あるいは不完全であるなら、罪はそれらの著者に帰せられるべきである。（*The Fair Concubine*, p. xiii）

と、誤りの責任を資料の著者になすりつけている。

翻訳者が原作者に責任を転嫁することもある。古代ローマの詩人スタティウス（四五頃—九六年）の『テーバイス』を訳したウィリアム・リリントン・ルイス（一七四三—七二年）が序文で書いていることが例となろう。

さて思考が下劣で低俗で、イメージが物理的に正しくなく、詩人の記憶の誤りで、一度死んだ兵士がまた戦っていると描かれることがときどきある。だから読者がこの種の間違いに気づいたら、原文の箇所にあたるべきであり、翻訳者のせいだと確定しないうちは翻訳者に罪を着せるべきではない。（Lewis 1767, p. xxiii）

確かに、不出来なテクストに出くわして、〈原文でそうなっている〉という註をつけたい衝動にかられることとは、翻訳を出したことのある人なら経験することだろう。

ものに転嫁する例はイギリスの小説家ホレス・ウォルポール（一七一七—九七年）の『オトラント城奇譚』（一七六四年）初版序文にある。

われわれの言語は多様性、調和いずれの点でもイタリア語の魅力にとうてい及ばない。……低俗になりすぎたり、大げさになりすぎたりせずに英語で語るのは難しい。(Walpole 1798, p. 5)

イタリア語の原文はもっとすぐれているが、英語は言語としてイタリア語に劣るので、英訳である本書は難点を免れないと、使用言語に責任を転嫁している。イタリア語からの翻訳というのは設定だけで、実際には原書は存在しないが、あると思っている読者には通用する論法かもしれない。

《性質の問題状況》では《譲歩論法(concessio)》、つまりよくない行為であることは認めるが、無知、過失によるとか、アクシデントによるとか、そうせざるを得なかったといった弁解も使われる。

過失によるとする例は、アメリカの小説家スーキー・ヴィッカリー(一七七九―一八二一年)である。『エミリー・ハミルトン』(一八〇三年)序文で「読者の心や道徳を害する傾向を持つものがあるかもしれないが、どれも意図的に書いたのではないと意識している」(Vickery 1803, p. v)と書いている。

計算ミスで釈明する人もいる。イギリスの作家キャサリン・ジェマット(一七一四―六六年)は『散文と韻文の雑録集』(一七六六年)序文にこう書いている。

刊行予定を読んだ読者が期待するのは、この雑録集が新作だけを集めたものだということなのに、実際にはそうなっていないという異議が申し立てられたなら、こう答えよう。作品原稿を見た出版者は、このサイズの本に普通収録される頁数に十分な分量があるだろうと見当をつけた。

しかし印刷に付され、大部分が刷り上がってみると、計算ミスをしたことがわかったが、あとの祭りだった。そこで勝手ながら一人二人の友人からもらった作品をいくつかと、過去にたぶん公表した自作もいくつか入れた。しかし一般読者はこれらの選択に満足していただけるだろうから、予告の文言を厳密には守らなかったことへの許しを私に与えてくれるだろうと思っている。(Jemmat 1766, n. p.)

当時は予約出版が一般的だった。そこで自分の新作だけを収録するという出版予告を見て予約した人が〈著者の新作以外のもので水増しされており、看板に偽りあり〉と抗議することを予測して、これは故意でなく過失だと弁解している。それにしても文字数のカウントに大失敗する編集、出版のプロっていったい？

自分の意志に反するアクシデントが生じたと言う場合もある。イギリスの詩人サラ・ファイグ・エガートン（一六六八―一七二三年）は『折々の詩』（一七〇三年）の献辞で、自分は出版するつもりはなかったが、公表されてしまった経緯をこう述べる。

私の原稿の大部分は一七歳になる前に書いた。それは長い間だれにも知られないままだったし、世間に迷惑をかけるつもりはなかった。しかし不運なアクシデントによって印刷所に押しやられ、（小さいとはいえ）もっと値打ちのある捧げものにしていただいたであろう検査と修正の時間は与えられなかった。(Egerton 1706, A2v.)

「不運なアクシデント」とは何か、は言わぬが花らしい。

そうせざるを得なかったという必然性を持ち出すのは、イギリスの詩人アン・キャンベル（生没年不明）の『詩の花輪』（一八二八年）の序文である。

最も小心な者でも必然性によって大胆になる。きわめて不完全な作品を寛大な読者の目にさらすという私の冒険はそれで説明できる。(Campbell 1828, p. iii)

その必然性を著者はこう説明する。

気前のよい天が私に楽天的な性格とかなりの度胸を授けてくださらなかったなら、申し出のあった出版の考えを今でも捨て、私の貧弱な作品がさらされるであろう非難を避けるだろう。(ibid., pp. iii-iv)

不出来なものを出版する大胆さを天は小心な著者になぜか突然さずけたので、その天命には逆らえないというわけである。

以上の論法のどれも使えない場合、事実上はお手上げなのだが、まだ奥の手が残っている。それは二度としないので、許してほしいとひたすら寛恕を願う《哀訴（deprecatio）》である。

アメリカの作家ガードナー・ドゾワ（一九四七—二〇一八年）は『奇妙な日々——ガードナー・ドゾワとの愉快な旅』（二〇〇一年）の序文にこう書いている。

批評家の先手を打つなら、大部分ではないにせよ多くの読者がおそらく本書をまったくつまらないと思うことになるのに、この作品集に私の旅行記の一つを印刷するのは身勝手だということは自覚している。しかし生きているうちに私の旅行記が印刷されるのはこれが唯一の機会だろうから、一度だけは身勝手をしても許されるだろうと思って、この機会を利用する。(Dozois 2001, n.p.)

初犯であり、二度としないと言って、ひたすらお慈悲を乞うている。

もっとも、この手を拒否する人もいる。イギリスの詩人マーガレット・ホルフォード（一七七八—一八五二年）は『ウォーレス』（一八〇九年）の序文でこう書いている。

このたび公刊される詩は粗雑な構想で書かれたので、あらゆる点で過酷な非難にさらされることを著者は承知している。——だからといって著者は人びとの慈悲を乞い、誤りをあらかじめ懺悔し、苦境と不安を哀れっぽく並べ立てることで、批評家の怒りを鎮めるだろうか。否。哀訴は罰に悔しさを加えるだけで、罰を回避はさせない。屈辱の嘆願が失敗したことを思い出したことによって、死刑執行人が不幸なモンマスに加えた痛ましいが効果のない三打が受刑者にとってどれ

ほどつらいものになったことか。（Holford 1809, p. vii）

斧で何度も打たれて断頭刑に処された初代モンマス公爵になぞらえて、《哀訴》は役立たずなだけでなく、心痛を増すだけだと述べている。

《量の問題状況》も《性質の問題状況》の一種である。これには弁護人が行為を小さく見せようとする論法が属する。古代ギリシアの哲学者プラトン（前四二七―前三四七年）は『パイドロス』で、レトリックは「小さなことが大きく見え、大きなことが小さく見えるように」（二六七A七―八）すると述べているところから、伝統レトリックがとりわけ十八番としている技法であることがわかる。たとえばドイツの小説家ヨーゼフ・ヴィクトル・フォン・シェッフェル（一八二六―一八八六年）は歴史小説『エッケハルト』（一八五五年）序文でこう書いている。

私はところどころで人物や年や、ひょっとすると年代を少しずらしたが、入念な歴史研究に基づかないことは多くは述べなかったとたぶん主張してよいだろう。作品の内的統一のために、歴史家がすれば最も非難に値することを作家は多少してもよいのだ。（Scheffel 1873, S. xv）

だいぶ盛ったのではないかという批判が自分の歴史小説に対して予想されるのを見越して、「少し」、「多くは述べなかった」、「多少」と語句を重ねることによって、脚色はさほど大きくないと強調している。

転移の問題状況：被告の転移、裁判官の忌避、適用される法令の変更

《転移の問題状況》に移ろう。これは被告、裁判官、適用される法などが間違っていると論ずる場合である。すでに述べた《転送論法》のうち、他人に責任を転嫁するものは、被告が違うというこの問題状況に他ならない。古代ローマの詩人ルクレティウス（前九四頃─前五五年頃）のテクストを公刊したフランスの古典学者ドゥニ・ランバン（一五二〇─七二年）は、詩人を瀆神罪から免れさせるためにシャルル九世への献辞で「これはルクレティウスが付き従うエピクロスの罪であって、ルクレティウスの罪ではない」（*Titi Lucretii Cari De rerum natura libri sex* (1563), a3r.）として、詩人ではなく詩人の情報源の哲学者を告発すべきだと主張している。

「巷で聞いた」として情報源を秘匿する人もいる。イギリスの詩人・小説家シャーロット・スミス（一七四九─一八〇六年）は小説『デズモンド』（一七九二年）序文で書く。

作品にちりばめられた政治的口論については、この一二ヵ月にイギリスとフランスで耳にした会話から大部分が引かれている。……そこで聞いた双方の議論を架空の登場人物に与えた。（Smith 1792, pp. ii-iii）

自分は報告者にすぎないので、女性が政治の話をしてはいけないというのなら、巷に多くいる女性たちを告発すべきだというわけである。

裁判官の忌避も《転移の問題状況》で使われる。イギリスの作家ダグラス・ジェロルド（一八〇三—五七年）は『セント・ジャイルズとセント・ジェームズ』（一八五一年）の序文で、貧困層の利益を擁護するために、ほんらい裕福な人にあるはずの徳を貧しい人のものだとしていると批評家から告発されたと述べたあと、

> これに対して私は、冷静な読解で本書を遇してくれる読者からの異なる意見の判決を多少の自信をもって待望していると答えるだけにとどめよう。(Jerrold 1851, p. iii)

と、裁判官を差し替えるべきだと主張している。

適用される法が違っていると書いているのは『シェイクスピア全集』序文におけるイギリスの詩人アレキサンダー・ポープ（一六八八—一七四四年）である。

> したがってアリストテレスの規則でシェイクスピアを判定することは、ある国の法律のもとで行為した人を、別の国の法律のもとで裁判にかけるようなものである。(Pope 1747, p. xxxiii)

西洋の作詩を長く支配してきたアリストテレスの「規則」ではなく、別の規則にしたがってシェイクスピアは判定されるべきであるということを、法廷の比喩によって説明している。

論証のフィギュール：両刀論法、対比暗示推論法、予防論法、一任論法、対抗非難、論議拒絶

ここまでは《問題状況》の分類について述べてきた。次に《論証のフィギュール》の分類を見よう。それには《両刀論法》、《対比暗示推論法》、《予防論法》、《一任論法》、《対抗非難》、《論議拒絶》などが含まれる。

《両刀論法》とは、二つの選択肢いずれを選んでも同じ結論になるとするものである。例としてはイギリスの詩人エリザベス・タック（一七九〇―一八六一年）の『ヴァリス・ベール』（一八二三年）の序文がある。なぜ出版するかの言い訳を書くのが序文の定型なので、それを書かない理由としてひとこと述べる必要を感じたらしく、

> もしこの種の作品が本当に注目に値しないなら、人びとに注目を無理じいする著者の愚かさと厚かましさに適した謝罪はないだろうし、もし作品の内在的価値によって注目に値するなら、そもそも謝罪は必要ないからである。(Tuck 1823, p. v)

と述べている。

フランスの小説家シャルル＝オーギュスタン・サント＝ブーヴ（一八〇四―六九年）の『愛欲』（一八三四年）には、新刊予告のタイトルだけでは中身を推測できないという苦情が寄せられたらしく、著者は序文でこう論じている。

曖昧なタイトルに基づいて本書を敬遠することができるほど謹厳な人びとは、本書の教訓はまじめなものではあるが、あまり清純でも慎重でもない心にのみ向けられているので、本書を読まなくともあまり失うものはないだろうとこの著作の編集者は判断した。逆に、他の人びとを遠ざけることができるものにまさしくひきつけられるような人びとについては、探すものは何も見つからないので、害は大きくない。(Sainte-Beuve 1835, pp. i-ii)

「謹厳」かつ「清純でも慎重でも」ある人と「まじめ」でない人に読者を二分し、前者は『愛欲』というタイトルを見て内容を察し、買わないだろうが、もともと本書はそんな人のための教訓は含んでいないので、買われなくても何の損害も生じないし、後者はタイトルにつられて買うだろうが、ふ「まじめ」なエロ小説ではないので、やはり害はない、という《両刀論法》らしいが、突っ込みどころ満載である。

両刀論法を三段重ねにしているのは、イギリスの随筆家ヴァイセシマス・ノックス（一七五二―一八二一年）の『冬の夜』（一七八八年）の序文である。

自覚している欠点、不本意な出版、若さと未熟、判断力のある友人たちの執拗な懇願に抵抗できなかったことを公言すれば、本心ではないと常に見なされる。他方もし本心なら、序文が弁明しようとする著作の発売停止にたいていは通ずるだろう。他方、自負と自慢は判断力のある読者の軽蔑を当然にも招く。……しかし序文の便利さは習慣によって確立されているようであり、それ

を省くとおそらくセレモニーの表敬ピースの欠落と見なされよう。(Knox 1788, p. iii)

この《メタ序文》的序文は、(1)著作が不出来であるという自己卑下は、本心でないなら不誠実と見られ、本心なら本が売れなくなる。(2)だからといって出来のよい著作として自画自賛すれば軽蔑される。(3)だからといって序文がないと敬意が欠けていると非難される、という三つの（ゆるい）両刀論法の重積として解説できる。

《対比暗示推論法》は「……ですら……まして」という型である。イギリスの作家ペネロープ・オービン（一六七九―一七三八年頃）は『ヴァインヴィル伯一家の奇妙な冒険』（一七二一年）序文でこう書いている。

この物語が含む真理については、もっと嘘っぽい『ロビンソン・クルーソー』がこれほど好意的に受容されたのだから、これが虚構と考えられる理由は何もないと思う。(Aubin 1728, p. 6)

『ロビンソン・クルーソー』はフィクションだが、ロビンソン・クルーソーという実在の人物が著者であり、デフォーはその編者である、という設定になっている。あまり本当らしくないその『ロビンソン・クルーソー』ですら真実として好意的に受容されたのだから、いわんや本書は……という論法である。

《予防論法》とは予想される攻撃を先取りしてそれに対する防御陣をはっておくものである。一般に序文が対処する攻撃には、過去になされたものと将来に想定されるものとがあるが、後者はすべて予防的性格を持つ。しかし《予防論法》となるのは、以下の例のように、予想される攻撃と、それに対する防御がその議論によって明示されている場合だけである。

古代ユダヤの著述家フラウィウス・ヨセフス（三七—一〇〇年頃）は『ユダヤ戦記』の序文的機能を持つ冒頭で次のように書いている。

僭主らやその略奪に対して非難して語られていることや、祖国の不運に悲嘆して語られていることについて誤った告発をする者がいるなら、歴史記述の法則に反する感情に容赦を与えたまえ。（一・一一）

感情をまじえてはならないという「歴史記述の法則」を知らないという非難が予想されるので、それに対して自分はその法則は承知しているが、このあと述べるようなわけがあって感情をまじえているのだという予防論法である。

《一任論法》とは相手に判断を委ねるものである。フランスの詩人ジャン・ド・ラ・フォンテーヌ（一六二一—九五年）は『寓話詩』（一六六八—九四年）の序文にこう書いている。

私は自分の計画を十分に正当化したと思う。その実現については一般の人びとが判事になるだろう。(La Fontaine 1755, p. iv)

《対抗非難》とは、ある非難に非難をもってこたえる論法である。やられたらやり返す、攻撃は最大の防御、というわけである（したがって時に泥沼化する）。その中でも、同じ非難を相手に向けかえるのを特に《投げ返し》という。『ピエールとジャン』（一八八七—八八年）の序文でフランスの作家ギ・ド・モーパッサン（一八五〇—九三年）は書いている。

褒め言葉にまじって、同じ人の筆による次の言葉を私は決まって見出す。「この作品の最大の欠点は、それが本来の意味での小説ではないことである」。同じ論法でこう答えることができるだろう。「光栄にも私を裁いてくれる文筆家の最大の欠点は、彼が批評家ではないことである」。そもそも批評家の本質的特徴とは何か。(Maupassant 1888, pp. I-II)

なお、本来の対抗非難は、非難する相手に非難でこたえるものだが、変種として、非難する相手自身でなく、その相手が利益を擁護しようとしている人を非難するものもある。イギリスの詩人・批評家・思想家サミュエル・テイラー・コールリッジ（一七七二—一八三四年）が「秋の暮に寄せて」（一七九三年）の註（序文とは区別されるが、パラテクストの一種ではある）でこう書いているのがその例である。

この詩の二七行から三六行までは『記憶の快楽』第三部の三五五行から三七〇行までの明白な模倣であると私は言われてきた。私は二つの箇所の間にそれほど目立つ類似性は感じない。いずれにせよ私はロジャース氏の詩を見る数年前に『湧出』を書いていた。――『記憶の快楽』におけるフロリオの話は、マイケル・ブルースによる優れた詩『レーヴェン湖』に見いだすことができると言うのが適切である。(Coleridge 1796, p. 184)

前半は自分のほうが時間的に先なので〔サミュエル・〕ロジャースからの盗用ではないという主張である。後半では、ロジャースのほうがブルースから盗んだと切り返している。告発者はロジャースではないが、その肩入れをしているので、変種の《投げ返し》だと言える。

《論議拒絶》とは提起された話題について議論するのを拒む論法である。アイルランドの劇作家アイザック・ビッカースタッフ（一七三三頃―一八〇八年頃）の『偽善者』（一七六八年）序文から例を一つ。

注意に値する異議がこの劇に提起されたとしても、何の欠点についても私には説明責任がないので、答える義務はないだろう。何の美点も主張していないのだから。(Bickerstaff 1792, p. 3)

そもそもいっさいの美を目的としていないので、美の規則に照らしてあれこれ言われても相手にしません、というわけである。

比較問題

以上が序文の分析に役立つ法廷レトリックの手法の二大グループ――《問題状況》の分類と《論証のフィギュール》――の分類である。他に三部門の一つである議会用レトリックの《比較問題(quaestio comparativa)》として記述できる係争点もある。Aという政策とBという政策のいずれをとるほうが国益にかなうかを国会で審議するときに争点となるような問題である。先ほど挙げた《比較論法》では一つのものの長所、短所が比較されるのに対して、ここでは二つのものの優劣が比較される。

例をフランスの作家アベ・プレヴォ(一六九七―一七六三年)の『キルリーヌの修道院長』(一七三五―四〇年)の序文にとろう。そこにはこう書いてある。

この世紀の趣味に対して毎日耳にする演説にもかかわらず、すぐれた作家が成功しないのを私は見ることがない。(Prévost 1735, p. 5)

著者は力量のある作家は常に成功するとしている。しかし逆は成り立たない。

しかし誹謗中傷と諷刺の下劣な快楽とか、道徳や宗教に挑戦する放埒さによってのみ喝采を得る者らがいるなら、趣味の堕落よりも、むしろ心性の堕落を非難し、人びとの軽薄さや邪悪さを嘆

くべきであることは明らかである。(ibid., p. 6)

成功したからといって、不道徳な話題や誹謗中傷を求める人びとの悪しき欲求に媚びた場合は、文学的価値があるとは言えないとしている。

私が印刷にゆだねる作品が、われわれの世紀に私が認めるよい趣味を満足させないとしても、私が糾弾している仕方で賞賛を求めるよりも、賞賛を断念するほうを選んだという満足を私は少なくとも持つことになろう。(ibid.)

自分が「すぐれた作家」でないことは認めなければならないかもしれないが、そうだとしても、美徳と悪徳の岐路に立つヘラクレスよろしく、よくない仕方による世間的成功をとるか、よくない仕方をとらないことによる内面の満足をとるか、という二択に直面して、著者は後者を選んだとドヤ顔で言う。「よりも」で構成される比較の文型はそういう《比較問題》を造形している。

三択での比較もある。イギリスの聖職者W・F・ショー(一八三九―一九〇四年)はローマ詩人の翻訳を本体とする『ユウェナリス、ペルシウス、マルティアリス、カトゥルス』(一八八二年)の序文で従来の訳文の欠点を指摘する。

従来の訳は、散文であれ韻文であれ、これらの著者の原文を魅力的な英語にできていない。散文

で訳した人は、読者の快をテクストに対する忠実さへの犠牲にしすぎるきらいがある。(Shaw 1882, p. i)

韻文を訳す場合、韻文で訳すか散文で訳すかの選択をまず迫られるが、訳者は散文訳の欠点を述べてそれをしりぞける。そして韻文の欠点に移る。

他方、韻文訳では正確な意味がしばしば脚韻の要件の犠牲にされてきた。(ibid.)

英語の詩形は通常脚韻を伴うが、それによって犠牲になるものがあるとして、これもしりぞける。そして自分の選択を述べる。

したがって、いかに優秀、有用であっても字句通りの散文訳からは何の快も生まれないので、脚韻(これは原文にはまったくない)に束縛されない或る種の韻文訳がこれら特定の詩人を訳す最上の媒体であるという結論に達したため、私はマルティアリスの一一音節韻に示唆された長短八音節韻を選んだ。(ibid., p. ii)

まず散文か韻文かという二択で後者を選び、次に脚韻のある韻文か脚韻のない韻文かという二択で後者を選ぶという二段階選抜が見て取れる。いずれも二つの選択肢を比較し、すぐれたほうをとるという手続き、つまり《比較問題》だといえる。

聴き手の好意を得ること

このほか伝統レトリックにおいては法廷、議会、儀式に共通の工夫として、弁論の導入部で《聴き手の好意を得ること》を挙げている。これも序文の分析に役立つだろう。いささか長い例で恐縮だが、以下は古代ローマの作家アプレイウス（一二五頃―没年不明）の『黄金のろば』の序文からの引用である。

さてナイルのペンの精妙さで書き込まれたエジプトのパピルスを読むことをあなたが軽蔑さえしなければ、私はあなたのためにあのミレトス風の語り方でさまざまな話を撚り合わせ、心地よいささやき声をあなたの好意ある耳にそっと吹きかけて、人間の姿と運命が別の形に変わり、また元に戻るのをあなたが驚嘆するようにしましょう。始めましょう。彼は誰ですか。短い言葉を聞いてください。アッティカのヒュメットス、コリントスのイストモス、スパルタのタエナロス、つまり私よりも幸福な書物に永遠に書き留められた土地が私の古い先祖です。そこで私は少年期の最初の課題でアッティカの言葉を習得しました。その後ラティウムの都で、導く師となく、文化に通じていないので、ローマ本来の言葉にひどく苦労しながらアプローチして習得しました。だから異国の、しかも法廷用語の粗野な語り手である私が何かお気に障りましたなら、あらかじめご容赦くださるようお願いいたします。確かにこの声の転変は、私が企てた突飛な知識の

文体に対応しています。ギリシアの話を始めます。読者よ、耳を傾けてください。お楽しみになれるでしょう。（一・一）

この序文の語り手がだれかについてはいくつかの見解がある。作者アプレイウス、物語の語り手であり登場人物であるルーキウス、あるいは劇の前口上役などが提案されてきたが、ここではハリソンにしたがって、この書物自体が語り手であるとしておく（Harrison 1990, p. 510）。このラインで考えれば、擬人化されたその本は読者の好意を得るために伝統レトリックが勧める二つの戦略を用いていると見ることができる。一つはこれから話すことが聴き手を喜ばせることを約束すること、もう一つはへりくだることである。最初の部分の「驚嘆するようにしましょう」と最後の「お楽しみになれるでしょう」が前者である。出身もローマからすれば辺境であるエジプトだし、教養もなく、話す言葉も粗野であるという謙遜は後者である。

使用と説明

ここまで述べてきた伝統レトリックの方法は序文で武器として《使用》されるものであって、伝統レトリックの教則本におけるように《説明》されるものではない。しかし、ときに序文でそれらが《説明》されることがある。それは序文に後続する本文自体が論争的性格をもつ場合である。序文は本文についてのメタ言語という性格を持っているため、本文が論争で《使用》する説得方法についての《説明》を与えることがあるのである。一例を挙げておこう。ドイツのプロテスタント神学者のカール・ゴットリープ・ブレッチュナイダー（一七七六―一八四八年）は、カトリックに対抗するために執筆した小説『ハインリッヒとアントニオ』（一八二七年）の初版序文をこう切り出している。

本書は攻撃ではなく防御のためであり、論争的にならざるを得なかったのは、敵の武器を敵自身に投げ返すという仕方でしか防御ができない場合に限られる。（Bretschneider 1828, S. iii）

ここにはレトリックの教則本に見られるような《投げ返し》という方法の《説明》が組み込まれている（傍線部）。本文では「敵の武器」、すなわちカトリック教会が自説の典拠とする教父の言葉が、実際にはその説を弱める典拠であることを示すという形でこの方法は《使用》されている。

第2章　メタ談話

メタ談話（metadiscourse）とは、命題内容を表示するのではなく、命題内容に対する読者（聴き手）の読解（聴取）行為を著者（話し手）が制御、調整、操縦しようとする言葉のことである。したがって序文は、本文読解の仕方を制御しようとする限りで、本質的にメタ談話的である。

メタ談話に特徴的な言語表現――《メタ談話標識（metadiscourse marker）》――はさまざまな仕方で分類されている。一番使い勝手がよいエマ・ダフー＝ミルンの分類をここでは採用したい（Dafouz-Milne 2008）。それによれば、或るテクストがそれを含む全体の中でどういう位置を占めるかを読者が理解するのを助ける《テクスト的メタ談話標識（textual metadiscourse marker）》と、著者と読者の関係に影響することを目指す《人間関係的メタ談話標識（interpersonal metadiscourse marker）》に、まず大きく分けられる。

発語内行為標識

《テクスト的メタ談話標識》の一つ《発語内行為標識（illocutionary marker）》は、イギリスの哲学者ジョン・L・オースティンの言う《発語内行為（illocutionary act）》を名指す語である（オースティン

一九七八、一七一頁)。たとえばイギリスの作家アメリア・ブリストウ（一七八三―一八六〇年）は『リサウの孤児』（一八三〇年）の序文でこう書いている。

> 文体に欠陥があることについて著者は謝罪しない。それは教育がおろそかにされたことの結果であるから。著者が目指した高い目的を考慮して、それらが大目に見てもらえることを望む。
> (Bristow 1830, p. ii)

傍線部が《発語内行為標識》である。

しかし序文のレトリックの分析にとって重要なのは《人間関係的メタ談話標識》のほうである。これはさらに命題内容に対する著者の確信の程度を下げる《ヘッジ (hedge)》、程度を上げる《確実性標識 (certainty marker)》、誰の言説であるかを表示する《言説帰属者 (attributor)》、命題内容に関する著者の価値感情を表現する《態度標識 (attitude marker)》、著者と読者の対話関係を強化する《コメンタリー (commentary)》に分かれる。

ヘッジ

以下に序文からの例でそれぞれを示したい。まず《ヘッジ》の例としては、第1章で挙げたヨーゼフ・ヴィクトル・フォン・シェッフェルの『エッケハルト』が再び役立つだろう。

私はところどころで人物や年や、ひょっとすると年代を少しずらしたが、入念な歴史研究に基づかないことは多くは述べなかったとたぶん主張してよいだろう。作品の内的統一のために、歴史家がすれば最も非難に値することを作家は多少してもよいのだ。(Scheffel 1873, S. xv)

「少し」、「多くは述べなかった」、「多少」が、伝統レトリックの《量の問題状況》として歴史小説自体の虚構性の程度を下げているのに対して、「ひょっとすると」、「たぶん主張してよいだろう」は、歴史小説についての自分の主張のほうの強度を下げているので、メタ談話の問題に属する。それによって著者は控えめなふるまいをしているという好印象を読者に与えることができる。

確実性標識

第二の《確実性標識》は、自分の小説『エミリー・ハミルトン』について「疑いなく多くの欠点が発見されるだろう」(Vickery 1803, p. iii) とスーキー・ヴィッカリーが書いているのが例となろう。それほど著者が確実だと信じているなら、たぶん本当なのだろうと読者に思わせられれば成功である。

言説帰属者

第三の《言説帰属者》の例は土井晩翠(一八七一―一九五二年)の随筆集『雨の降る日は天気が悪い』(一九三四年)序にある。

こんな書物を刊行するといふ考は初めから無かつたのだが、高楠正男さんに是非ともと曰はれたので、遂に公刊することにした。書名も同君が『是が面白い、かうして出さう』と曰はれたので、之に従つたのである。

これは第6章で扱う《気後れ》としても説明できるが、ここでは《言説帰属者》として、単に情報の出所を示すだけにとどまらず、情報源の権威による読者説得を目指すものとして考えることができる。目の肥えた出版人からお墨付きをいただいておりますよ、というわけである。

態度標識：義務動詞、態度的形容詞、認知動詞

第四の《態度標識》は、著者の態度を示すことによって、それに共感した読者の読解行為を変容させることを目指す。《義務動詞（deontic verb）》、《態度的副詞（attitudinal adverb）》、《態度的形容詞（attitudinal adjective）》、《認知動詞（cognitive verb）》がこれに含まれる。

《義務動詞》の例をアメリカの作家オリバー・ウェンデル・ホームズ（一八〇九─九四年）の『エルシー・ヴェンナー』（一八六一年）から引こう。

昔の著者から引かれたさまざまな物語の価値がどんなものであるのかは、読者が自分で判定しなければならない。語られたことのどれほどを──実際に起こったこととしてであれ、可能で、多かれ少なかれ蓋然的なこととしてであれ――受け入れ得るかは読者が決定しなければならない。しかし、この物語が進行し始めて以来、『エルシー・ヴェンナー』で純粋に想像的な観念として引いた人物の実在性の最も驚くべき確証を受け取ったと、性格からしても、人間の精神と身体を学ぶ人に対する責任を負う者としても、著者はここで言うことを許されなければならない。(Holmes 1861, pp. ix-x)

訳文では「なければならない」と形容詞句になっているが、原文はmustという助動詞である。「なければならない」と繰り返し言われて、そうだと思う人もいるだろうし、押しつけがましいと感じる人もいよう。それは状況と文脈次第である。

《態度的形容詞》の例は、すでに引いたワーズワースの『抒情民謡集』の「告知」にある。

最近の多くの著者の派手で空虚なことば使いに慣れている読者は、本書を最後まで読み通すなら、おそらく違和感、困惑という感情としばしば戦わなければならないだろう。読者は詩を探し回り、いかなる種類の合意でこれらの試みが詩という名を名乗るのを許されるのかと問いたくなるだろう。そういう読者は、彼ら自身のために、きわめて議論の分かれる意味を持つ詩という孤立した語が享受の妨げにならないようにするのが望ましい。(Wordsworth and Coleridge 1911, pp. i-ii)

最後の「望ましい」が《態度的形容詞》である。ワーズワースのこの詩集は通念的な詩とは異なっているので、読者が「詩」という語にこだわらずに読む、という命題内容に対して賛成し要請するという態度を著者がとっていることを表示している。

フランスの著作家テオフィル・ゴーティエ（一八一一―七二年）は芸術至上主義のマニフェストとして有名な『モーパン嬢』（一八三五年）の序文にこう書いている。

> いま支配的であるこの道徳の偏愛は、ひどく退屈ではないにしても、ひどく滑稽である。
> (Gautier 1857, p. 2)

「滑稽（risible）」は芸術に道徳的、教育的機能を求める「支配的」見解に対するゴーティエの態度を表している。

イギリスの小説家クララ・リーヴ（一七二九―一八〇七年）の『イギリスの老男爵』（一七七八年）の序文にはこうある。

> ロマンスのなすべきことは、第一に注目をかきたてること、第二にそれを何か有用な、または少なくとも無害な目的に向けることである。リチャードソンのように、この両者を達成する作家は幸いである。そして後者だけを達成し、読者に楽しみを供給する者は不幸ではないし、賞賛に値しないわけでもない。(Reeve 1807, pp. vii-viii)

すこしあとで「注目」は「驚異（marvellous）」と関連付けられている。したがってここは「驚異」という美的質と、他の諸価値（有用性、無害な楽しみなど）とを並べているのが特徴的な箇所である。そのうえでリーヴは両者を兼ね備える者が一位を占め、後者だけを実現する者を二位に置いている。前者だけを実現する第三の可能性には言及されていない。いずれにせよ「幸いである（happy）」、「不幸ではない（unfortunate）」、「賞賛に値しない（undeserving）」がここで論じている《態度的形容詞》として、対象に対する著者の評価的態度を表示するために用いられている。

コメンタリー：設問法、読者への呼びかけ、包括表現、傍白

最後に第五の《コメンタリー》であるが、著者と読者の対話関係を強化する一群の表現から成る。《設問法（rhetorical question）》、《読者への呼びかけ（direct address to reader）》、《包括表現（inclusive expression）》、《傍白（aside）》がこれに含まれる。

《設問法》とはいわゆる修辞疑問のことである。徳田秋声（一八七二―一九四三年）の『花たば』（一九〇五年）の「はしがき」に例がある。

> 世、短篇を蔑視する者多し。読者も亦多く重きを此に置かず。率《おおむ》ね刷毛《はけ》序《ついで》の余業の如く取扱へり。然れども短篇の価値豈《あ》に容易に大篇の下に置くべけんや。（徳田 一九〇五、頁番号なし）

短編と長編というジャンルの優劣問題を扱っている。問いかけ（とそれが含意する返答）という形は、対話関係にあるという印象を読者に生むことを目指す。

同じく読者との対話の形をとるものは《読者への呼びかけ》である。その例としては小熊秀雄（一九〇一―四〇年）「魔女」（一九三五年）の「序詩」の「すべての女の読者諸君よ　いまは時代の過渡期です」がある。

《包括表現》とは読者を自分と同じグループにまきこむために一人称複数を用いる技法である。古代ローマの詩人カトゥルス（前八四頃―前五四年頃）の翻訳でイギリスの編集者・翻訳家ウォルター・キーティング・ケリー（生年不明―一八六七年）はこう書いている。

そしてカトゥルスの小品の多くのこれらの醜行とみだらな下品さに対するわれわれの自然な嫌悪のただなかにあって、これらのものは個人というよりは時代の悪徳だったことを思い起こすのが正当である。（Walter K. Kelly 1854, p. 3）

「自然な嫌悪」という点で読者が著者と共感していることの確認、強化という機能がもくろまれている。

最後は《傍白》であるが、これは二本の通信回路で著者とつながっているという感覚を読者に生むことによって、著者‐読者関係の濃密化を目指す。語句挿入の形をとることが多い。

河上肇（一八七九―一九四六年）は『貧乏物語』（一九一七年）の「序」でこう書いている。

自分では之が今日迄の最上の著作だと思ふ。と言つたからとて、――念の為に附け加へて置くが――世間の相場で之を良書の一と認めて貰ひたいなどいふ意味の要求をするのでは毛頭無い。（河上 一九一七、二―三頁）

傍線部の《傍白》は、主文が自作についての思いを対象としているのに対して、その主文の言語行為自体を対象とすることによって、通信回路の複線性を実現している。

二重の語句挿入の形をとるものもある。二〇世紀の推理小説家エラリー・クイーン『ギリシア棺の謎』（一九三二年）の序文に例がある。

いかに謙虚であろうとも、誰も――そして、エラリー・クイーンは（彼は真っ先にそれに同意すると思う）決して謙虚ではないが――自分の失敗を世間に誇示したがらないものだ。（Queen 1932, n. p.）

傍線部の《傍白》は、一重傍線のレベルでは、主文の一般的陳述に対して、個別的陳述という別の声を響かせることによって、二重傍線のレベルでは、クイーンについての〈客観的〉視点による叙述に対して、クイーン自身の〈主観的〉視点による叙述という別の声を響かせることによって、三本の交流回路を開いている。

第3章　ポリフォニー

《ポリフォニー》と聞くと独立した複数の声部から成る曲という意味の音楽用語だと思う人が多いだろう。しかしロシアの文芸理論家ミハイル・バフチンがドストエフスキー論（バフチン 一九六八、一九九五）で文学作品の分析にこの語を用いて以来、複数の声が響いている場という意味のこの概念は、文学だけでなくさまざまな種類のテクストを分析するために広く用いられている。

序文で著者が（すでになされた、あるいはこれから予想される）攻撃に対して応答する場合、その攻撃の声をなんらかの仕方で提示しないと、著者が何に対して応答しているのか、いやそもそも応答なのかどうかすらわからなくなってしまう。そこで著者は攻撃の声を他者の声として響かせる必要がある。それは読者の声である場合もあるし、第三者の声である場合もある。場合によっては自分に有利な第三者の声を響かせることもある。そのことから、序文は著者の声と読者の声と第三者の声が響きあう場となる。序文を法廷に喩えるなら、そこでは原告、被告、裁判官、弁護人、陪審員がそれぞれの声を響かせる権利を持っているし、ときには傍聴人も（発言すると裁判官から注意され、場合によっては退廷させられる恐れもあるが）声をあげることがある。したがって序文はポリフォニー概念による分析に向いている。

言語的ポリフォニーの概念によるテクスト分析にはさまざまな手法があるが、ここではメタ談話のときと同様、ポリフォニーの目印となる言語表現、つまりポリフォニー標識によるものを用いたい。テクストに深く隠された他者の声——例えばバフチンが「隠された論争（hidden polemic）」（Bakhtin 1984, p. 195）と呼ぶもの——を聞き取るためには、もっと複雑精妙な手法のほうが性能は高いかもしれないが、取り扱いやすい標識を用いたほうが手始めにはよいと思うからである。

否　定

最初に取り上げるポリフォニー標識は《否定》である。フランスの言語学者オズワルド・デュクロは『語る形式と語られた内容』でこう書いている。

> したがって、否定的発話（例えば「私は行かない」）は二つの行為の実行としてその発話を提示することを私は認める。語り手が行くという主張と、この主張の拒否である。さて、この二つの行為が同一の存在に帰せられないことは明らかである。確かに拒否は語り手（「私」が指示する人）に帰せられるが、拒否された主張は他の人に帰せられる。それは相手であったり、特定の第三者であったり、大衆の声であったりする。(Ducrot 1984, pp. 152-153)

《否定》の最初の例は、土井晩翠の第一詩集『天地有情』（一八九九年）序の冒頭である。

「或は人を天上に揚げ或は天を此土に下す」と詩の理想は即是也。詩は閑人の囈語に非ず、詩は彫虫篆刻の末技に非ず。（土井 一八九九、序㈠頁）

詩のあるべき姿を示す文章において、肯定の陳述だけでなく否定の陳述をわざわざ加えているのは、他者の声を呼び出し、それを「打ち倒すように作られ」（バフチン 一九六八、二八二頁）ているからである。

著作の性格に関する情報提供でも《否定》は使われる。イギリスで女性では初めてジャーナリストとして自立できたエリザベス・リン・リントン（一八二二―九八年）の『湖沼地方』（一八六四年）の序文に以下の文章がある。

本書は風景と場所の忠実な記述ではあるけれども、個人的冒険から構成された旅行記ではない。これはまた、どの宿屋に行き、朝食と夕食にいくら払えばよいかを教える旅行案内でもない。これはまた詳細な研究でもない（それには三倍の時間とスペースが必要だっただろう）。そうではなくてこれはわれわれの計画にたまたま起こったような一般的、特殊的な、読者の興味を引きそうな話を書いた、湖についての本にすぎない。（Linton 1864, pp. ix-x）

ジャンルについての読者の予断を否定辞で次々と遮断しているのがわかる。

譲　歩

《譲歩》も多くの論者がポリフォニー標識としている。他者の言い分もある程度認め、しかし自分はそう考えないと言うことは、二つの声を響かせることになるが、譲歩はそれを造形する文型だからである。フランスの作家ロマン・ロラン（一八六六―一九四四年）は『ベートーヴェンの生涯』改訂版の序に書いている。

私自身のことをくだくだしく述べたのを許していただきたい。それは、このベートーヴェン賛歌の中に、歴史学の厳密な方法に従っている一つの学問的な著述を求めようとする今日の人々の要求に対して私は答弁をしておかなければならないからである。私は歴史家である。しかしそれは私が歴史家であるべき時においてのことである。いくつかの著述によって私は音楽学のために厳正な貢を支払った。すなわち、私の『ヘンデル』や、オペラに関する私の著述の中で。しかしこの『ベートーヴェン』は学問《シアンス》のために書かれたわけでは全然ない。（ロラン 一九六五、一二頁）

「今日の人々の要求」が実際に初版に浴びせられた批判を指しているのか、それとも世間の傾向から著者が推し量ったものを意味しているのかは、実証的研究が答えるべき問いであるが、声が現実的なものであろうと想像上のものであろうと、ポリフォニーであることには変わりない。

ドイツの作家ドロテア・マルガレータ・リーベスキント（一七六五―一八五三年）は『マリア――書簡体の物語』（一七八四年）序文にこう書いている。

> それのモデルがこの世界にめったに見いだされないので、主要登場人物は誇張され、不自然だとおそらく見なされよう。しかし、このジャンルの文芸は単に現実を写すべきであり、模倣に値する理想へ決して飛び上がってはならないという、近年このジャンルに対してなされる要求が正当であるかどうかは、ここでは未決としたい。しかし私の考えでは、この種の文芸は、自然においてはばらばらに存在し、分散している美を、一定の目的のために一つの全体へとまとめるという原則を、すべての他の芸術と共有していると言わざるを得ない。(Liebeskind 1784, Vorbericht)

ここでは《譲歩》を表す「しかし」が二つ使われている。第一の「しかし」で始まる文では、読者が模範とすべきお手本を提示すべきか否かという問題については保留するという態度が表明されている。第二の「しかし」で始まる文では、むかしから芸術の理念として語られてきた、自然に散在する美を一つに集めるという考え方への賛同が表明されている。この二つの考え方はどう違うのだろうか。第二の考え方によれば、現実においては別々の人に散在する美点を一人の登場人物に集めるのがこのジャンルということになる。これは異なる美点の数の増大である。これに対して第一の考え方が勧める道徳的模範に関しては、現実においては散在する複数の道徳的価値を一人の登場人物に集めるというよりは、一つの道徳的価値を現実より高めることが意味されている。「模倣」とは登場人物が読者の模範、お手本になるということであるから、必ずしも複数の道徳的価値である必要はなく、単一の道徳的価値でもかまわない。このような二つの考え方が美化ないし理想化という伝統的理論には混在すると著者は考え、それぞれについて他者の声と自分の声を響かせているのである。

比較

《比較》もポリフォニー標識に数え入れられる。アメリカの小説家・詩人エドガー・アラン・ポー（一八〇九—四九年）は『第三詩集』（一八三一年）冒頭の書簡で「他の条件が等しいなら、教訓を与える者よりも、喜びを与える者のほうが同胞にとっては重要である」（Poe 1917, p. 220）と書いている。古代ローマの詩人ホラティウス（前六五—前八年）が快と教訓を詩の二つの目的として挙げて以来、この二つは長い詩論の伝統の中でさまざまに変奏されてきたが、ここでは教訓が詩の目的であるという他者の声（この引用箇所の少し前に出てきていたワーズワースの声）と、それより快のほうが大事だという自分の声として残響している。

条件文

《条件文》もポリフォニーを表示できる。他者の声を前提とすると、事実に反する帰結、不合理な結論が導かれるので、前提である他者の声が誤っているという仕方（論理学でいう《否定式》）で、である。モンテーニュは『エセー』の冒頭で書いている。

> もし世間からちやほやされたいためであったのなら、わたしはもっと自分を飾ったでしょうし、もっと注意した歩みでまかり出たにちがいありません。（モンテーニュ 一九七〇、「著者から読者

へ」〉

しかし実際には見ての通り淡々とした文体で書いている。したがって自己宣伝の意図はない、という論法である。

アイルランドの小説家ジョン・バニム（一七九八―一八四二年）も『糾弾された者』（一八三〇年）の「読者へ」で同じポリフォニー標識を用いている。心情を害したり、偏見を助長したりする書物であるという批判を受けかねないだろうと述べたあと、

これに対してわれわれは予防論法によってこう答える――これらの物語が寛大な感情を一つでも傷つけたり、偏見を一つでも植え付けたりする意図があるとわれわれが信じているなら、出版せずに破棄するだろう。(Banim 1866, p. vii)

と、条件文で他者の声を響かせたうえで反論している。本当に無害なのかという論点を、著者が無害と「信じている」かどうかという論点にすり替える巧妙な論法である。

確　認

《確認》は、他者の声を確認するという標識である。フランスの著作家トマ＝シモン・グレット（一六八三―一七六六年）の『ペルー物語』（一七三三年）を英訳したイギリスの詩人・台本作家・翻訳家

サミュエル・ハンフリーズ（一六九七頃―一七三八年）の訳者序文に例がある。

たしかに、すべてのフィクションは総じて不適切で良くないとする多くのまじめで思慮深い人びとがいることに私は気づいている。（Humphreys 1734, p. ix）

「たしかに」は、フィクション一般を否定する人びとがいるという他者の声を確認する機能を持っている。

ことわざ

《ことわざ》もポリフォニー標識となる。フランスの物語論者アルジルダス・ジュリアン・グレマスの言葉を借りれば、それは「語り手が故意に自分の声を捨てて、別の声を借りるという印象を」（Greimas 1970, p. 309）与えるからである。デンマークの詩人・劇作家アダム・エーレンシュレーゲル（一七七九―一八五〇年）は『回想録』（一八五〇年）の序文にこう書いている。

最初に私の生涯を書き記したのは……出版社からの要請の結果だった。私は急がなければならなかった。そして当然それによって多くの特徴の正確な記録が不可能になったし、忘れたり書けなかったりした多くのことを省かなければならなかったけれども――何であれ何もないよりはまし、と考えた。（Oehlenschläger 1850, S. 1）

「何であれ何もないよりはまし」は少なくとも中世にまでさかのぼるドイツのことわざである。一般的真理を持ち出すことは、主張に同意するよう読者に要求する力を高めることに寄与する。

暗示引用

《ことわざ》に似たものに《暗示引用（allusion）》がある。名句をあからさまに示すのではなく、それとなく示唆する表現法である。イギリスの劇作家・詩人ベン・ジョンソン（一五七二―一六三七年）は『新しい宿』（一六三一年）の「読者への献辞」にこう書いている。

> 多くの気難しい無礼者らは、初日にそこに来ますが、正しい仕方での観劇を決してしませんでした。じゃあ彼らは何しに来たのか、とあなたはたずねるでしょう。きっちりと答えましょう――見るため、そして見られるためにです。高価な衣装に身を包んで自分自身を皆のお手本にし、劇に反して舞台を占拠するためです。(Jonson 1908, p. 5)

傍線部は古代ローマの詩人オウィディウス（前四三―後一八年頃）の『恋の技法』一・九九の「彼女たちは見物しにくるのだが、自身人に見られるためにもきているのだ」（オウィディウス 一九九五、一一三頁）を示唆しているが、引用符もつけず、典拠も示していない。わかる人にしかわからないというので《暗示引用》である。

アイロニー

次に取り上げるのは《アイロニー》である。これはさまざまな角度から説明されるが、ポリフォニーとしての説明は、この表現をアイロニー的にではなく用いる他者の声と、アイロニーとして用いる自分の声の両方が響いている、というものである（Scăunaşu 2014）。ワーズワースは『抒情民謡集』の「告知」で「優秀な判断力をもつ読者は、これらの詩の多くが作られている文体を非難するだろう。多くの詩句が彼らの趣味に正確には合わないと予期せざるをえない」（Wordsworth and Coleridge 1911, p. iii）と書いている。世間の人は「優秀な判断力をもつ読者」という語句をアイロニーとしてではなく用いているが、ワーズワースは、この語句が指示する対象が優秀ではないと、反転した意味で用いている。

パロディー

《パロディー》もポリフォニーの一種である。例としてイギリスの作家ジョン・ハミルトン・パー（生没年不明）の『私の本――様々の断片の寄せ集め』（一八二一年）の序文を見よう。これは定型的序文に対するパロディーである。

『私の本』が示すであろうように、私はきわめて利口な人間、非常にすぐれた作家である。『私の本』には巻頭から「終わり」まで一つの誤りもないので、正誤表はない。『私の本』は急いで書かれたのではない。私は一切を公刊を目的として書いた。私は自分と友人たちの楽しみのためだけに暇にまかせて書いたのでもないし、「病と悲嘆という不利な状況に心を乱されて」書いたのでもない。(Parr 1821, p. vi)

たとえば作品の不出来に対する言い訳の一つに執筆時の不利な状況の陳述があるが、この引用の最後の陳述ではそれが否定されている。引用中の他のすべての陳述も元ネタである定型的序文の物言いの逆になっている。したがって元ネタを他者の声として響かせるポリフォニーである。

第4章　読　者

序文における読者のあり方を考えるにあたって、ここではアメリカのドイツ文学研究者ダニエル・ウィルソンが提案した《特徴づけられた虚構の読者（characterized fictive reader）》という概念を手掛かりにしたい（Wilson 1981）。彼によれば、それは「テクスト内部で特徴づけられた読者」であるが、その特徴づけは直接的になされる場合もあれば、間接的になされる場合もある。「語り手が読者に呼びかけたり、言及したりするとき、あるいは読者の話に耳が傾けられるとき」特徴づけは直接的である。間接的に特徴づけられた読者とは、ドイツの文学理論家ヴォルフガング・イーザーの提起した《内包された読者（implied reader）》（《含意された読者》とも訳される）（イーザー 一九八二）にほぼ一致するとされる。

間接的に特徴づけられた読者

《内包された読者》がどういう意味で《間接的に特徴づけられた読者》であるのかを、ここでは『ヨハネによる福音書』序文で例示しよう。アメリカの聖書学者ダグラス・エステスは、『ヨハネによる福音書』が属するジャンルは伝記でもなく、福音書という独自のジャンルでもなく、いくつかのジャンルからの混成物でもなく、「物語（narrative）」であるという説を提示している（Estes 2015）。彼によれば、この福音書の（伝統的に序文とされている）冒頭は、物語ジャンルの序文の当時の定型に一致しているという。その定型とは、誰が、何を、いつ、どこで、なぜ、何を介して、どんな仕方で、という七つの項目（今日言われる五つのWと一つのHより一項目多い）を述べるというものである。つまり誰が（言葉が）、何を（命を）、いつ（初めに）、どこで（神のところで）、なぜ（ひとの光とするため）、何を介して（自分を介して）、どんな仕方で（自分を離れては何も生まれないという仕方で）、というわけである。そして《内包された読者》はこの「ジャンル標識」を認知できる。以上がエステスの説である。この序文は想定された読者を、たとえば〈これから七つの項目についてお話ししますので、それが物語のジャンルに属することを読者は認識できるでしょう〉といったような読者への直接の呼びかけで示しているわけではない。したがって「間接的に」特徴づけられた読者と呼ぶことができる。

直接的に特徴づけられた読者

《直接的に特徴づけられた読者》に移ろう。間接的に特徴づけられた読者のほうは「文学作品の作用にとって必要なあらゆる前提条件を具象化してみたもの」（イーザー 一九八二、五八頁）という《内包された読者》の規定を受けているが、直接的に特徴づけられた読者のほうは必ずしも読者にとって必要な条件ではない。むしろ一定のふるまいをするよう読者を説得する機能を持っていることが多い。

読者層の表示

そういう言葉には読者層を表示するものと、読者のふるまい方自体を表示するものがある。まず読者層の表示であるが、それにはいろいろな仕方がある。フランスの小説家ポール・ブールジェ（一八五二—一九三五年）が『弟子』（一八八九年）の序文冒頭でこう呼びかけるとき、読者層は直接に指示される。

わが国の若者よ、本書を捧げたいのはあなたにです。生地も名前も両親も境遇も野望も知らないのに私がよく知っているあなたにです。あなたが一八歳以上二五歳未満であり、あなたを悩ませている問いに対する答えを本書に、年長であるわれわれに求めているということ以外は知りません。(Bourget 1893, p. i)

これは指定された人に自分向きの書物として読書意欲をかきたてることを目指している。

公表形態と連関する読者層の表示もある。夏目漱石（一八六七—一九一六年）は『彼岸過迄』（一九一二年）の緒言でこう書いている。

東京大阪を通じて計算すると、吾朝日新聞《わがあさひしんぶん》の購読者は実に何十万といふ多数に上つてゐる。其の内で自分の作物《さくぶつ》を読んでくれる人は何人あるか知らないが、其の何人かの大部分は恐らく文壇の裏通りも露路も覗いた経験はあるまい。全くたゞの人間として大自然の空気を真率に呼吸しつゝ

> 穏当に生息してゐる丈だらうと思ふ。自分は是等《これら》の教育ある且《かつ》尋常なる士人の前にわが作物を公にし得る自分を幸福と信じてゐる。（夏目 一九一二、四頁）

読者層として、文学通ではなく、一般の人びとを想定している。これは新聞小説という形態と符合する。

逆に特定の人びとを読者層から除外するものもある。イギリスの詩人・随筆家ジェーン・ボウドラー（一七四三―一八四年）は『詩とエッセー』（一七八六年）の序文で「娯楽だけを求める読者は、本書を読んでも満足しないだろう。しかし本書はそういう読者に向けたものではない」（Jane Bowdler 1786, p. iii）と書いている。ポリフォニー標識の《譲歩》である「しかし」によって、読んでもおもしろくないという他者の声に先手を打っている。

特定の読者層を排除する機能のうちに、先行する旅行記作家に対する批判という機能を組み込む人もいる。ドイツの作家アウグスト・フォン・コッツェブー（一七六一―一八一九年）は『リーフランドからローマ、ナポリへの旅の思い出』（一八〇五年）の「序文にかえて」で「本書を読む必要のない人の目録」として「一　すべての芸術家といわゆる芸術通」、「二　芸術を愛しているし、芸術作品を見るのは好きだが、それについての話は聞きたくない人びと」（Kotzebue 1805, S. i-ii）を挙げたあと、こう書いている。

> 三　私は以下の目的で書いたのではない。フォルクマンのように観光名所の無味乾燥なカタログ

を提供するためでも、シュトルベルク……のように古代人のテクストを多読していることを見せびらかすためでも、ゴラニのように借り物のウィットで粋人ぶるためでも、マイアーのように感傷的な絵を展示するためでもない。そういうものが欲しい人は私の書を読まないように。(ibid., S. ii-iii)

先人に対する激しい攻撃が見てとれる。

読者一般ではなく、批評をしてもらいたい人についていろいろ注文をつけているのはスコットランドの医師ヘレナス・スコット（一七六〇—一八二一年）である。小説『一ルピーの冒険』（一七八一年）の序文で彼は不適格な判断者として、まず散文作家を挙げる。

愚かな人びとに愚かな情念をお粗末な言葉でかきたてる君たち現代の小説作家よ、同時代人を教育するために、自分の考えは一つも入れずに大著を書く君たち当代の医者よ、決して誤らない自然の働きを十分正確に観察しないせいで、すべての真の哲学と本物の帰納をだめにする君たち理論家よ……私の著作を判断すべきはあなた方ではない。(Helenus Scott 1782, pp. i-iii)

三種の人びとに対してメタ談話標識の《読者への呼びかけ》が使われている（傍線部）。これはこのあとも継続的に使用される。次いで韻文作家も排除される。

私の長所を決めるべきは、響きのよい韻律で気の抜けた詩を書く人びとよ、あなた方でもない。(ibid., p. iii)

批評家も判断者としては失格である。

よいもの、ためになるものを何ひとつ公衆に示さず、批評という美名のもとに大量のナンセンスを公表するあなた方でもない。(ibid., p. iv)

著者が判断を求めるのは「節度ある心を持つ」人である。

私が判断してもらいたいのは、現代の著者として定評があろうとなかろうと、男女いずれでも、節度ある心を持つあなた方である。誤りは人間につきものであり、趣味の限界を正確に画定することはできないのをあなた方は知っている。したがって、あなた方は誤りがないからといって私に長所があるとは即断しないし、非難されるべきことが多く私にあるなら、温厚に私をとがめるだろう。後天的な知識と先天的な趣味を持つあなた方に私は判断してもらいたい。(ibid., pp. v-vi)

要するに酷評せず寛大に判断してほしいというアピールである。

登場人物と読者の同質性を強調する序文もある。イギリスの小説家ウィリアム・ゴドウィン（一七五六―一八三六年）は『フリートウッド』（一八〇五年）序文で「以下の物語は大部分が、現在のイギリス人の少なくとも半分に起こったような出来事からできている。彼らは私の主人公と同じ階級の者である。彼らの大部分は大学にいたことがあり、大学の不行跡を共有している。大部分はのちに放埒でひどい目にあった……」(Godwin 1832, p. xv) と書いている。登場人物を身近に感じて読んでほしいという著者のアピールである。

読者層が広く設定されていることをアピールすることもある。イギリスの宮廷著述家ジョン・ハリントン（一五六〇―一六一二年）が訳したイタリアの詩人ルドヴィーコ・アリオスト（一四七四―一五三三年）の『狂えるオルランド』（一六三四年）は「献辞」、「序文」、「告知」という三つのパラテクストを持っている。その「告知」でハリントンは「私は彼らにこの短い告知を向ける。（本書を読む人が必ずしもすべて同じ能力をもっているわけではないから）知識人に必要であったよりも平明にそれを説明しよう」(Harington 1634, A1r.) と書いている。「序文」が人文主義に通じた高度の有識者を読者として想定し、一三頁にわたって文学の存在意義を延々と論じているのに対して、一頁に収まる「告知」のほうは、いわばその簡略版で、よりプラクティカルな読み方のヒントを述べるにとどめている。つまり玄人と素人――といっても当時のイギリスの識字率は五〇パーセントほどなので、あくまで字の読める人の中でのことであるが――の二つの読者層にアピールしていることになる。このアピールは販売促進という目的にもかなっている。

ドイツの詩人・小説家・劇作家ヨハン・ヴォルフガング・フォン・ゲーテ（一七四九―一八三二

年）は『プロピュレーエン』（一七九八―一八〇〇年）の序文でこう書いている。

著者たちは、作品を見たか、将来見るであろう人びとのために作業することを考えているが、しかしそのいずれでもない人びとのためにも、できるだけのことをするのを望んでいる。（Goethe 1798, S. 35（xxxi））

人は作品を見るか見ないかであるから、実質的にすべての人を読者として想定していることになる。

太宰治（一九〇九―四八年）は『老《アルト》ハイデルベルヒ』（一九四二年）の「序」において、『愛と美について』（一九三九年）と『皮膚と心』（一九四〇年）の再版の要望が読者から寄せられたが、戦時下の紙不足でそれができない、せめて「特に著者の気にいりの同じ匂ひの作品」を選んだのが本書であると書いたあと、

いまだ両書を読まぬ人だけが、買ふとよい。両書を読んだ人も、この新しい編輯に依つて読み直したいと思つたら、買ふがよい。羊頭狗肉ではないつもりだ。（太宰 一九四二、頁番号なし）

と、やはり排中律論法を使っている。

そうかと思うと、広い読者層にアピールしたい出版社の意向と、著者の想定する読者層とが食い違

い、妥協の産物になっている例もある。リチャード・グレイヴスは『霊的キホーテ』（一七七三年）序文でこう書いている。

> 現代教育（それにはキリスト教の教義はほとんど含まれない）だけを受けた人が著者の意図をとらえることは不可能である。
> しかし出版社のために私の著作ができるだけ皆の興味を引くことを私は望んでいるので、そういう人もたぶん少しばかりの喜びを見いだすだろう。(Graves 1774, p. xvii)

しぶしぶ出版社の顔を立てているのがばればれである。

読者のふるまい方自体の表示

次にふるまい方自体の表示であるが、これは「読者」という語を限定する句で表示されることが多い。著者の望むふるまい方を示す肯定的なものと、著者の望まないふるまい方を示す否定的なものがある。前者の例としてはフランスの小説家スタンダール（一七八三—一八四二年）の『リュシアン・ルーヴェン』（一八三五年）における読者への呼びかけがある。

> 寛大な読者の皆様、
> この呼びかけ方に注意してください。実際、もしあなた方が寛大でなく、私が提示しようとして

いる生真面目な登場人物たちの言葉と行動を良いほうに解釈するお気持ちがないのでしたら、もし強調の不足や道徳的目的の欠如などで作者をお許しにならないのでしたら、これ以上読むことをお勧めしないでしょう。（Stendhal 1894, p. xviii）

読み方を操縦しようとする意図がはっきり見てとれる。

呼びかけの形でないものもある。イギリスの劇作家・小説家ヘンリー・フィールディング（一七〇七―五四年）は『雑録』（一七四三年）の序文で、

もし優しい読者が第一部の詩を悪くないと思うなら、それは私の心からの願いにかなう。（Fielding 1743, p. ii）

と書いている。イギリスの作家ジョナサン・スウィフト（一六六七―一七四五年）が『桶物語』（一七〇四年）序文で「丁重な読者がこの大作の秘密についてすこしだけ知っておくことが理にかなっている」（Swift 1803, p. 51）と書いているのも、「丁重」な読み方を望む作者の意図の表明である。むろん読者の実際の反応は応諾とは限らない。あまのじゃくに厳格で、優しくなく、無礼な態度で読む人もいるだろう。まったく読解態度を変えない人もいるだろう。

否定的なものとしては、イギリスの作家アフラ・ベーン（一六四〇―八九年）が『オルノーコ』（一六八八年）序文で「私が述べたことが真実となるように私は気をつけた。たとえ批判的読者がどう判

断しようとも」（Behn 2009, p. 5）と書いている例がある。ワーズワースの『抒情民謡集』の「告知」にある「優秀な判断力をもつ読者は、これらの詩の多くが作られている文体を非難するだろう。多くの詩句が彼らの趣味に正確には合わないと予期せざるをえない」（Wordsworth and Coleridge 1911, p. ⅲ）という箇所を第3章でアイロニーによるポリフォニーの例として引いたが、ここでも例として役立つだろう。「批判的読者」や「優秀な判断力をもつ読者」は難癖をつけがちだが、そういう態度はとってほしくない、あるいはそういう者たちの言に読者は耳を傾けないでほしいという説得である。「読者」を限定する句とは違う形でふるまい方が表される場合もある。イギリスの軍人ジョージ・ウッド（一七六七―一八三一年）の『中尉』（一八二五年）の序文冒頭の

上から目線の読者が本書を手にして、文体や文章表現――措辞の優雅さや文飾――の点で喜びを与えるものを期待するなら、ひどく失望するだろう。（Wood 1825, p. v）

では、表現形式による評価はおすすめのふるまい方でないことが条件文という形で示されている。読者の年代別に読み方を指示することもある。小熊秀雄は『流民詩集』（一九四七年）の序にこう書いている。

この詩集は頁の始めの方は極く最近の作であつて、後にゆくほど昔のものになつてゐる。大体昭和十二年始めから現在までのものである。

だから若い読者は、後の方から読んでもらつて、年代的に自分の心の発展、推移といふものに触れてほしい。そこには若い正義感や、若気の過失や、いろいろのものがあるだらうと信じてゐる。
そして年を老つた読者は、第一頁から読みすすめて、若さの性質といふものがどんな風に変るものかといふことを理解していただきたい。（小熊 一九四七、一三頁）

読者が著者と一体化するのにふさわしい読みの順序を、老若それぞれに示している。読書の目的別に読み方を指示する人もいる。イギリスの詩人リチャード・オーエン・ケンブリッジ（一七一七―一八〇二年）は『スクリブレリアッド』（一七五一年）の序文にこう書いている。

注意深く読み、或る部分が他の部分に光を反射し、すべての部分が全体を照明するのに寄与する仕方を忍耐強く観察するすべての人には、本書は自分だけで十分自分自身を説明するだろうと著者は確信している。しかしこの詩の徹底的理解には絶対に必要なこの注意深さを、初出の詩に一般読者が向けると思い込むほど私はうぬぼれていない。したがって、このような文章の批判的考察のためよりも、娯楽のために読む人びとを満足させるために序文の何行かを公表するよう私に助言する人びととの勧めに私はしたがった。（Cambridge 1751, p. v）

著者は読書の目的を「批判的考察」と「娯楽」に二分し、それぞれに読み方の指示を与えようとする。まず「批判的考察」を目的とする読者には、部分と部分の関係、部分と全体の関係に絶えず注目して読むことが「必要」だと述べる。次いで「娯楽」目的の読者向けの指示をこう与える。

> まずこの性格の作品の真の理念を考察してみよう。
> 擬似英雄詩は、できるだけ多くの点で本物の英雄詩を模倣すべきである。(ibid.)

「娯楽」を目的とする読者に対しては、まずジャンルの本性を認識するよう指示する。そしてこの引用のあと、擬似英雄詩というジャンルの本性と登場人物の性格について長々と解説し、よくよく心得よと諭している。

記述的用法

ここまで《直接的に特徴づけられた読者》のうち、読者に一定のふるまいをさせようとする規範的・指令的な機能をもつものをみてきたが、そうではなく記述的な機能をもつものもある。イギリスのジャーナリスト・小説家エリザベス・リン・リントンは『魔女伝説』（一八六一年）の序文で、読者をグルーピングし、それぞれに予想される反応を描くことによって書物の内容を予告している。

> 一般的に言って、報告されたすべての事例に四つの境遇の人すべてを当てはめ〔てみて、その反応を予想す〕ることができるだろうと私は思う。それがどんな比率かは読者一人一人が自分で判

断しなければならない。霊界と人間の直接的・個人的交流を信じる人びとは、一六世紀と一七世紀の疑いなき信心をもってすべての説明をたぶん受け入れるだろう。自然の平穏で斉一な作動を信じている人びとは、もっぱら欺瞞説に同意するだろう。多くの病と、「動物磁気催眠術」とか「神経過敏」と呼ばれる不思議な状態を見たことのある人びとは、正気を失った信じやすさと時間の驚くべき無視によって行われやすい大量の意図的欺瞞と混ざりあった絶対的神経錯乱の存在を認めるだろう。そして証拠を精査し、証人を尋問するのに慣れた人びとは、記録されたすべての事例のしまりのない陳述とひどい歪曲に断固たる不満をおぼえるだろう。(Linton 1861, p. iv)

傍線を付けたそれぞれのタイプの読者がどう反応するかを予想的に記述することで、間接的に書物の内容を予感させる序文である。

第5章　言語行為

《言語行為（speech act）》の理論の基本線を引いたジョン・L・オースティンは『言語と行為』において《発語行為（locutionary act）》、《発語内行為（illocutionary act）》、《発語媒介行為（perlocutionary act）》の三者を区別した。《発語行為》とは「何ごとかを言う」という行為、《発語内行為》とは発語それ自体によって行われる別の行為、《発語媒介行為》とは《発語内行為》を遂行することで遂行される別の行為である（オースティン　一九七八、一六四、一七一、一七五頁）。たとえば「「彼は……と言った」は発語行為であり、「彼は……と論じた」は発語内行為であり、また、「彼は、私に……と納得させた」は発語媒介行為である」（同書、一七六―一七七頁）。

この三つのうち、文学作品の序文で中心的な役割を果たすのは《発語内行為》である。著者が序文で遂行しうる《発語内行為》は確かに多岐にわたる。それらの《発語内行為》はいずれも第2章で取り上げた《発語内行為標識》によって表示される。しかし序文の《発語内行為》の多くが争いの比喩で表現可能であり、しかも攻撃的というよりは防御的な性格のものである以上、それに特化した《発語内行為》を考えることができるだろう。

アメリカの言語学者ロビン・レイコフは、そういう言語行為として《謝罪（apology）》、《弁明

(excuse)》、《正当化 (justification)》、《説明 (explanation)》の四つを区別している (Lakoff 2003)。《謝罪》とは、相手にとって悪いことをし、それを後悔し、それに責任があり、そうしないこともできる（できた）と言う場合である。《弁明》とは、そうしないことはできなかったと言うものである。《正当化》とは行為が悪くなかったと言うものである。《説明》とは、相手が行為を正しく理解すれば悪いとは考えなくなると言うものである。文学作品の序文の場合、「行為」とは執筆と出版のことであるのは言うまでもあるまい。

謝　罪

かつて「著者の謝罪の全盛期」(Pryce 1887, p. ix) には序文の中心機能だった《謝罪》の例は、アメリカの作家ジョン・ニール（一七九三―一八七六年）の『ナイアガラの戦い』（一八一八年）第二版の「読者へ」にある。ひどく傷つけられていた初版のテクストではなく、この第二版で作品を評価してほしいと述べたあと、第二版の意味についてこう述べる。

> 私が第二版を見たかったもう一つの、そして最も重要な理由は第一版のタイトル頁にあった。それは全体として、憤激され、そして認めねばならないが正当に非難された。ことの真相はこうである。私はそれを恥じている。書かれたときからそれを恥じていた。しかしここで説明することはできないような状況のもとで私はひどく興奮していた（そんな筋合いではなかったのだが）ので、おとなしいタイトルでペンネームのもとに印刷するという当初の目的を捨てた。そして見苦

> しくもバーレスクな〔まじめなものを茶化す〕ものを選んだので、今その書を汚している。それに赤面し始めたとき、それはこっぴどく非難された。しかし当時は強情だったので、自分の馬鹿さ加減を認めるとか、その償いをすることができなかった。(Neal 1819, pp. x-xi)

初版のタイトル頁にある「ナイアガラの戦い――詩――注釈なし――そしてゴルダウ、もしくはマニアックなハーパー――「鷲！　そして星々！　そして虹！」――「クールでいろ」などの著者エヒウ・オカタラクト著」という「見苦しくもバーレスクな」文言がシリアスな中身にはそぐわないと多くの人から非難されたらしい。それに対してニールは全面的に罪状を認め、謝罪している。「書かれたときからそれを恥じていた」という言葉から、悪いとわかっていて行ったことがわかるので、《謝罪》にあたる。

タイトルだけでなく作品全体について《謝罪》しているのは、フランスの作家ヴィクトル・ユゴー(一八〇二―八五年)の『アイスランドのハン』(一八二三年)の初版序文である。

> 読者は本を序文から読み始めるが、著者は本文のあとで序文を書いて本を完成させるという著者の慣習にしたがって、長い序文を書こうとしたまさにその瞬間……自分の誤りに気づいた。つまりこれほどの紙を重々しく汚してきたジャンルがまったく無意味でくだらないものであり、この小説がある程度まで文学的作品であり、四巻で一冊の書物になると確信していた点でいかに欺かれていたかがわかった。

> そこで謝罪してから、この種の序文では何も言わないのが賢明だと決心した。(Hugo 1858, p. 4)

初版の序文を書く時点で、つまり出版という行為の前にそれが悪いことはわかっていたので、出版しないことも可能だったにもかかわらず出版した、ということであるから《謝罪》と見なし得る。献呈行為を《謝罪》する例もある。匿名の『法学院の伊達男、あるいは都会の浮気男』(一七五四年)の献辞にこうある。

> 私は小説しか閣下に捧げるものを持っておりませんので、これほどつまらない著作の庇護をお願いすることをおそらく謝罪すべきでしょう。(*The Temple Beau*, n. p.)

小説は価値の低いジャンルであるという定評を認識していて、しかも献呈しないこともできたのだから《謝罪》である。

《謝罪》は《弁明》が――ましてや《正当化》、《説明》が――できないときにするものだという特性をよくあらわしているのは、イギリスの作家ジョージ・モンク・バークレー(一七六三―九三年)の『詩集』(一七九七年)序文である。

一般に詩人は「以下の詩を一般に公表する意図は毛頭なかった――それは少数の仲間の楽しみの

ために、あるいは（自己中心的なことに）自分だけの楽しみのために書かれた――友人たちの熱心な勧めや、友人たちが不完全なコピーを広めるのではないかという恐れが、公の批評の法廷に訴える唯一の動機である」と述べなければならないと考えている。こういうものが詩の一般的な序文である。（Berkeley 1797, p. ii）

これら常套的な《弁明》を他者の声としてしりぞけたあと、「自分には何の弁明もできない」ので「ご立腹の方々が私の出版を許してくれることを望む」（ibid., pp. ii-iii）と書いている。

しかし謝罪は四つの言語行為のうちでも最も立場の弱いものなので、効果は期待できないと冷めた態度をとる人もいる。アメリカの作家リチャード・エモンズ（一七八八―一八三四年）は『フレドニア譜』（一八三〇年）の序文で書いている。

やさしい寛大さをもって著者の欠点を大目に見てくれるよう読者に頼む力が謝罪には弱いことを確信していなかったなら、私はおそらくそれを試してみたくなっているだろう。（Emmons 1830, p. viii）

実際には謝罪しないという趣旨の非現実的条件文である。

イギリスの詩人アレクサンダー・ブローム（一六二〇―一六六六年）は『歌とその他の詩』（一六六一年）の「読者へ」で「二度と書かないという使い古された約束によって許しを乞うことは、本書の出版を故意の罪にしてしまうだろう。それをするわけにはいかない」(Brome 1668, a2v.-a3r.) と、謝罪が逆効果であることを明言している。

弁　明

《弁明》の例は、先ほど挙げたジョン・ニールの『ナイアガラの戦い』第二版の序文にある。タイトルについて《謝罪》したあと、もう一つの非難についてこう述べている。

> 私はまた、他の人の言葉では序文における不正直さゆえに、しかし実際は虚偽——嘘——ゆえになぶられてきた。——それも当然だった。私は悪事をはたらいたのだ。しかし匿名であり、大部分は真実であり、今は違うが、当時は悪意からではないから無罪だと考えていたので、良心が私を責めることはなかった——そうでなければ、私はその書を燃やし、それを書いた手もそんな罪を犯す前に燃やしていただろう。(Neal 1819, pp. xi-xii)

「当時は悪意からではないから無罪だと考えていた」という言葉は、初版の時点では避けがたい判断だったという趣旨なので、言語行為としては《弁明》であり、伝統レトリックでは無知によるとする《譲歩論法》である。

イギリスの作家ジョン・バルティール（一六二七頃—九二年）の『ビリンテアア』（一六六四年）序文にも《弁明》の例がある。

すぐれた友人たちの要請と指令によってのみこのロマンスを公表したと言うことは、他の人の場合はうわべだけの、あるいは装われた謙遜におそらく見えようが、私の場合は最も厳粛な真実である。というのも本作は未熟な若書で、大部分はひどい病気の合間に書かれたので、もっと年齢が上で、健康な閑暇に試みられたなら示されたような、すべての部分の成熟と安定を持つことができないことに気づいているからである。(Bulteel 1664, n. p.)

第一の文は出版の理由として「友人たちの要請と指令」を断ることができなかった点を挙げる。第二の文は出来のよくない理由として、病身の若者にはそれ以上のものは書けなかったことを挙げる。いずれも別の行為――出版しないこと、出来のよいものを書くこと――が可能ではなかったという趣旨であるから《弁明》である。なお、第一の文の「装われた謙遜」というのは、心の中では謙遜していないのに、礼儀上それを装うことを指す。書物の冒頭でも多用されたことで有名な紋切型である(クルツィウス 一九七一、一一七頁以下参照)。

《謝罪》と《弁明》の違いを例示するには、アメリカの詩人ロバート・トリート・ペイン・ジュニア(一七七三―一八一一年)の『韻文と散文の作品集』(一八一二年)の(死後出版のために他者によって書かれた)序文がよいだろう。

ペイン氏の作品のこの版の近刊予告が出されてから八ヵ月以上がすぎた。この間隔は不当に長い

> と言われている。そして著者とその著作が一般の興味をもう十分にはひかなくなるまで公刊が遅れたと、はっきり言葉で言われることもある。
> 　この遅れが必要のないものだったなら、人びとは確かに謝罪を要求するだろう。しかし出版が遅れた原因がいくつか挙げられるなら、出版がわけもなしに延ばされたとは思われないだろう。その原因は多く、また多様なので、いちいち枚挙することはできないが、主なものはペイン氏の原稿の乱雑さと、すでに印刷〔され公表〕された作品の捜索に伴う困難さだった。(Paine Jr. 1812, p. v)

出版の遅れが回避できるものであったなら、著者も書いているように言語行為の《謝罪》に相当する。しかし遅延はよくないことだが、いずれの原因も不可抗力という性質のものなので、言語行為の《弁明》にあたる。挙げられている二つの原因のうち、新聞、雑誌に掲載されたものをさがすのが困難だったというほうは、当時の出版物保存の状態を知るうえで興味深い。

やむを得なかった事情があるという《弁明》にかなり限定的な役割しか与えないこともある。イギリスの作家ハンナ・モア（一七四五―一八三三年）は『シーレブス』（一八〇九年）序文でこう書いている。

> 　こうして私は出版を控えたほうが賢明だったはずのものを出版する陳腐な弁明——友人たちからの強い勧め——を余儀なくされる。(More 1810, p. 3)

友人の要請を断り切れなかったというのは、避けがたい事情を挙げるものとして《弁明》である。しかし私の友人や私の虚栄心が最も大きな影響力を持っていたにせよ、出版を同意したことに対しては、友情や虚栄心よりよい動機が働いていたという希望を私としては抱きたい。(ibid.)

友人の勧めの他に虚栄心とそれ以上に「よい動機」が出版の理由として挙げられている。「虚栄心」は避けようと思えば避けられる事態なので《謝罪》である。「よい動機」は友人の勧めや虚栄心よりよいという以上、たぶん《正当化》か《説明》と見なされるものだろうが、その内容は明言されていない。

モアの「陳腐な弁明」という言い方には、紋切型となった弁明に対する反省的態度がうかがえるが、それを徹底すれば、序文の弁明機能は何の意味もないという立場になる。スコットランドの著作家ヘンリー・グラスフォード・ベル（一八〇三―七四年）は『私の古い作品選集――物語と下書き』（一八三二年）の「序文でない前置き」で、「いつでも序文はつまらない本の最もつまらない部分」なので「誰も序文を読まないし、読むべきでもない」(Bell 1832, p. iii) と切り出し、

出版する人が「友人に強く勧められた」とか、「義務感に突き動かされた」とか、「内的衝動に屈した」とか、「打ち勝ちがたい恥ずかしさを乗り越えた」からといって、それが読者男女にとっ

てなんだというのだ。もし悪い本なら、友人、義務、衝動、恥ずかしさは何の足しにもならず、本屋の頭に死の重みを食い込ませる。もしよい本なら、友人、義務、衝動、恥ずかしさは、……その本の売れ行きのよさとは何の関係もない。(ibid., p. iv)

と、序文が書物の評価にとって何の意味も持たないことを強調している。序文についての序文、つまり《メタ序文》と呼ぶべき例である。ここでは《メタ序文》は序文の弁明機能を対象化しているが、序文の他の機能をも対象化することが可能であり、実際そういう《メタ序文》は少なからず存在する。

正当化

第三の類型である《正当化》の例で多いのは、他の人もやっていることなので自分のしたことは悪くない、と言うものである（これは〈赤信号、みんなで渡れば怖くない〉として活用も悪用もされることが少なくない）。イギリスの詩人ジョン・ドライデン（一六三一―一七〇〇年）は『一夜の恋、または偽の占星術師』（一六七一年）序文で書いている。

ウェルギリウス、テレンティウス、タッソーを剽窃者と呼んだ人びとは……〔私を剽窃者と呼んだ人びと〕より正当な権利を、その告発について持っています。なぜならウェルギリウスは多くの箇所でテオクリトス、ヘシオドス、ホメロスを明らかに翻訳しましたし……。(Dryden 1735, n.

p.)

ウェルギリウスは私よりも多く先人から借用しているのだから、私を告発する人よりもウェルギリウスを告発する人のほうが正当な権利を持っているはずである。しかしウェルギリウスを告発する人はいない。したがって私はなおさら告発されるいわれはない。つまりその程度の、あるいはそれ以上の借用を誰でもやっているのだから、剽窃ではない、という仕方でドライデンは自分の行為を《正当化》している。

イギリスの小説家ロバート・ベイジ（一七三〇―一八〇一年）の『あるがままの人』（一七九二年）の序文にはこうある。

> 小説を非難する書評家の理由には、小説は小説である限り若い女性の心を汚染し、若い女性は若い男性を汚染し、かくして自分もうつされ、他の人にもうつすこの感染源からパンデミックの危険がある、というものもあります。しかし、若い女性が服飾と行儀作法を学びに通い、そして虚栄をもって服飾を、高慢をもって行儀作法を学ぶあの寄宿学校は、この汚染の業務に少なくとも同じくらい参加しているだろうと愚考いたします。(Bage 1792, pp. ii-iii)

〈風紀紊乱〉ということなら、他にも同罪のものがあるのに、そっちはおとがめなしである以上、こっちもとやかく言われる筋合いはない、という主張である。

権威に訴える論証を使う人もいる。スコットランドの言語学者ダンカン・フォーブズ（一七九八―一八六八年）は、六世紀のペルシアの詩の英訳『ハティムタイの冒険』（一八三〇年）の序文でこう書いている。

もっと重要なジャンルの著作を訳すというもっとよい目的に私は時間を使うべきだったと言われたなら、著名なブレア博士の言葉を弁護として引用しよう。博士は「どれほど価値が低いように見えるどんな種類の著作でも、広く普及していて、特に若い男女の想像力を魅了するものには、格別注意を払わなければならない。それは国民の徳性にも趣味にもかなり影響する」〔Blair 1853, p. 417〕と言っている。(Forbes 1830, p. vi)

若年向きの物語はあまり価値のないジャンルであるという当時の通念から予想される批判に対して、スコットランドの修辞学者ヒュー・ブレア（一七一八―一八〇〇年）という権威を引くことによってあらかじめ答えている。

説　明

第四の《説明》の例としてはイギリスの小説家エリザベス・アン・ル・ノワール（一七五五頃―一八四一年）の『村の逸話』（一八〇四年）の「告知」がある。

著者の筆跡に慣れていないので、編集者と印刷者が判読するのはきわめて難しかった。そして著者に問い合わせるには離れすぎていた。多くのケースで意味の推測、それどころか意味の生産すら編集者には必要だった。——事情のこの率直な申し立ては本書の誤植の大部分を説明するだろう。(Le Noir, 1804, p. iii)

著者校正ができなかったという事情を理解すれば、読者は誤植を大目に見てくれるだろうという趣旨の《説明》である。

第6章　ポライトネス

ポライトネスとは言葉の点での礼儀、気配りのことである。文学作品の序文の分析にとって有用なのは、ポライトネスに関する基本文献であるペネロペ・ブラウンとスティーヴン・C・レヴィンソンの共著『ポライトネス――言語使用における、ある普遍現象』にある《敬意（deference）》と《気後れ（reluctance）》という二つの類型だろう（Brown and Levinson 1987, pp. 178-194）。それによれば、《敬意》とは、相手を自分より上位に置くことによって、相手に何か（たとえば読書）を強いる立場に自分はないのを示すことである。それには相手を高める《尊敬》と、自分を卑下する《謙譲》がある。

尊敬

次に挙げるアイルランドの小説家ロード・ダンセイニ（一八七八―一九五七年）の『驚異の書』（一九一二年）の短い序文は《尊敬》の例である。

私についてきてください、ロンドンにどうしても我慢のならない紳士淑女の皆様方。私についてきてください。そしてわれわれの知る世界の一切に倦んでいる皆様方も。ここには新しい世界がありますから。(Lord Dunsany 1912, n. p.)

「紳士淑女の皆様方」という読者への呼びかけは、多用によって効果は逓減しているが、形式的にはポライトネスの言語標識である。

標識――尊敬語――によらない《尊敬》もある。イギリスの小説家・書簡作家のメアリ・チャンピオン・デ・クレスピニー(一七四九頃―一八一二年)は、初版に対して異議が寄せられた部分の削除によって、その異議を寄せた人びとに対する「敬意」を表すと『母から息子への助言の書簡』(一八〇三年)第二版の「書評者たちへ」で述べている(Crespigny 1807, pp. xi-xii)。

謙譲

より多いのは《謙譲》である。イギリスの詩人エドマンド・スペンサー(一五五二頃―九九年)は『妖精の女王』(一五九〇年)にあるエリザベス一世への献辞でこう書いている。

> 女王の最も卑しい従者たるエドマンド・スペンサーが、陛下の名声の不滅と共にありますように、謹んでこの仕事を捧げ、献じ、奉献いたします。(Spenser 1909, p. 2)

献呈行為の主語、様態語、述語のいずれも《謙譲》の表現になっている。

標識――謙譲語――によらない《謙譲》もある。アイルランドの作家トマス・ムーア(一七七九―

一八五二年）は『バイロン卿の伝記』（一八四四年）の「初版第一巻の序文」でこう書いている。

> 本書を公刊するにあたり、最も拙劣な手でも消せないであろうほどの魅力とおもしろさが主題自体にあり、そしてそれを例示するためにここに持ち出された多様な素材にもあると私が納得していなかったなら、これほどの仕事に正しく対処する私自身の力に対するほんとうの不信から、かなりの気後れを感じていただろうと告白する。(Thomas Moore 1844, n. p.)

「最も拙劣な手」という語句は著者自身の力量についての含意も持っているが、直接にそれを指す《謙譲》表現ではない。ここでの《謙譲》はむしろ文全体の趣旨——本書が出版に値するのは著者の力ではなく主題と素材自体の力による——の性格である。

自分自身ではなく自分の書いたものについて《謙譲》を用いる場合もある。ルネッサンス期のイギリスの詩人エミリア・ラニア（一五六九—一六四五年）は『ユダヤ人の王、神、万歳』（一六一一年）の「有徳な読者へ」でこう書いている。

> 私はこの小著、つまりささやかな一冊をこの王国のすべての有徳な淑女と貴婦人の一般的な使用のために書きました。(Lanyer 1993, p. 48)

河上肇は『貧乏物語』の「序」でこう書いている。

自分では之が今日迄の最上の著作だと思ふ。と言つたからとて、――念の為に附け加へて置くが――世間の相場で之を良書の一と認めて貰ひたいなどいふ意味の要求をするのでは毛頭無い。
（河上 一九一七、二―三頁）

「無い」はポリフォニー標識の《否定》である。ラニア、河上肇いずれの例も、エルンスト・ローベルト・クルツィウスが『ヨーロッパ文学とラテン中世』で「謙遜の定句」（クルツィウス 一九七一、一一八頁）と呼んだもので、繰り返し使われ続けた類型である。

敬　遠

相手に対する敬意は表しつつ、その主張はしりぞける場合もある。イギリスの詩人エリザベス・バレット・ブラウニング（一八〇六―六一年）は『マラトンの戦い』（一八二〇年）の序文でこう書いている。

この卑小な企ては虚栄、才人気取り、あるいは天才と思われたいというもっとばかげた動機によると考える人が不運にもいるかもしれない。その判決に対する謙遜と敬意は持ちつつも、その告発に対しては無罪を主張したい。そして本書を読んでくださる少数の公平な味方の批評は慈悲によって和らげられると確信しているので、そのかたがたにつつしんで本書を捧げたい。

（Browning 1901, p. 2）

酷評者を敬して遠ざけているのがよくわかる物言いである。

気後れ

第二の類型である《気後れ》は、自分としては気が進まなかったが、他の人の勧めに抵抗できず、仕方なく出版した、つまり〈できの悪い本書を読むことを強いるなどという不遜なまねをしているのは自分ではなく誰かほかの人ですよ〉という趣旨の言葉として序文ではよく現れる。イギリスの劇作家ロバート・ハワード（一六二六―九八年）の『新作劇五篇』（一六六五年）の「読者へ」にはこうある。

自分の弱点について私が持っているもっと大きな懸念にこの懸念が加わるので、これらの愚作が公表されたのは私の意向にも判断にも反していたと私が断言するとき、読者には信じてほしい。しかし［書籍商］ヘリングマン氏から何度も請われ、その要求を越える丁寧な言葉を受け取ったので、自分の欠点と感じているものよりも、彼が重要と信じているものを優先させるよう、とうとう譲歩した。（Howard 1700, A2r.）

「愚作」は言うまでもなく《謙譲》である。

書肆の要請よりも多いのは友人の勧めである。スコットランドの小説家・詩人イザベラ・ケリー（一七五九―一八五七年）の『詩・寓話集』（一七九四年）序文に例がある。両親は結婚によっていずれも裕福な実家から勘当され、最初の夫は浪費家で、二度目の夫は結婚一年で死亡するという、あまり恵まれない経歴の持ち主である著者は、出版するテクストが会心の作でない理由としてさまざまな悪条件を挙げたあと、

> ではなぜ公刊するのか（と問われよう）。――この問いに対する著者の答えは、少なくとも推薦させる真実を持っている。――友人たちの望みに従うよう、性格に促され、感謝の感情に強いられたので、著者は友人たちの願いに応えるためにだけそれを公刊した。そして、その親切さと尽力からすれば当然の応諾を拒むよりは、非常に恐ろしいとはいえ、むしろ批評の危険を冒すほうを選んだ。（Isabella Kelly 1794, p. iv）

と述べている。「拒むよりは」はポリフォニー標識の《比較》である。

誰の勧めかをぼかす場合もある。イギリスの作家マーガレット・タイラー（一五四〇頃―九〇年頃）が『王侯のふるまいと騎士道の鏡』（一五七八年）の「読者へ」で「この種の仕事の最初の動機が私自身から生じたのではなく、この作品は他の人びとによって私に課せられた」（Tyler 1578, n. p.）と書いているのがその例である。

著者でなく編集者がそれを言う（言わされる?）場合もある。ドイツの作家クリスティアーネ・カ

ロリーネ・シュレーゲル（一七三九―一八三三年）の『デュヴァルとシャルミレ』（一七七八年）の編集者序文に例がある。

この作品は著者が田舎での余暇の気晴らしに、印刷して世間に見せる意図はまったくなしに書いた試作にすぎなかった。しかしそれを闇から掘り起こしたからといって世間は編集者を責めるだろうか。それより恐れているのは、しりごみしているのに無理に公衆の目にさらされたという著者の苦情のほうである。(Schlegel 1778, S. 3-4)

「まったくなしに」はポリフォニー標識の《否定》、「責めるだろうか」はメタ談話標識の《設問法》である。

複合的使用

《謙譲》と《気後れ》の両方が使われることもある。ハンナ・モアは『種々の主題に関するエッセー』（一七七七年）序文でこう書いている。

以下の頁が公衆の審査に付されるのは、最大の気後れをもってである。しかし著者の限られた能力が目下の試みの達成に思い通りに成功することをいかに妨げたとしても、意図の正しさが公平で好意的な受容をそれにもたらしてくれるだろうと謙虚に期待している。(More 1778, p. 1)

「いかに妨げたとしても」はポリフォニー標識の《発語内行為標識》である。「気後れ」、「謙虚に」という語句は、それ自体がポライトネスの種類を名指ししている。「期待している」はメタ談話標識の《譲歩》、《尊敬》、《謙譲》、《気後れ》のすべてが使われることもある。イギリスの詩人フィリップ・シドニー（一五五四—八六年）は、妹であるペンブローク伯爵夫人への献辞をこう始めている。

最も敬愛する、そして最も敬愛に値する伯爵夫人、価値のない拙作がここにあります。それは恐れ多くも、蜘蛛の巣のように、何か他の目的のためにまとうよりも、払い落とすほうがふさわしいと考えられるでしょう。(Sidney 1893, p. xxxv)

《尊敬》と《謙譲》の表現にあふれた書き出しである。

私としては、育てようとしない赤ん坊に対してギリシアの薄情な父親がする習慣だったように、父親でありたくないこの子を、本当に忘却の砂漠に投げ捨てたい気持ちでした。(ibid.)

価値がない作品なので、他の人に見せたくない、というのは《気後れ》の表現の前段である。

しかし私が育てることをあなたは望みました。そしてあなたの望みは私の心には絶対的命令です。さてそれはあなただけのための、あなたに対してだけのものです。もしそれをあなただけに、あるいは好意ある天秤で誤りを測ってくれるような友人だけにとどめてくださるなら、それが大目に見られ、それ自体では欠点だらけですが、もしかするとかわいがられることを父親として望んでいます。(ibid.)

人目にさらすのは、あなたの強い要請があったから、というのは《気後れ》の後段である。アメリカの作家トマス・ネルソン・ページ（一八五三―一九二二年）は『暇つぶし小話集』（一八九四年）序文でこう書いている。

公衆の前に出るとき、著者は「立派な読者よ」と呼びかけるのが習慣でした。この習慣には二つの利点があります。一方で著者は「話」をすることができ、他方で読者はそれを聞かなくてもよいのです。私は今この古い習慣を利用したいと思います。そして私の立派な読者は――そんな方がいるとしてですが――この免除特権を利用してもかまいません。私としては、私自身ほどこれらの物語の欠点に気づいている者はいないだろう、とだけ言いましょう。「立派な読者」の皆様、少なくともその点でだけは、われわれは一致しています。ではなぜそれを書いたのかとおたずねなら、それを依頼され、そうするほうを選択したからです、と正直に言いましょう。ではなぜそれを出版したのかとおたずねなら、出版者に出会ったからです、とお答えしましょう。

(Page 1894, p. v)

冒頭から「免除特権を利用してもかまいません」までは、序文を読まないという選択肢があることを読者に対して強調することで、相手に対する押しつけがましさを軽減する《尊敬》の表現となっている。「私としては」ではじまる文は、自作の不出来を認める《謙譲》である。最後の二つの文は、執筆も出版も他の人の勧めによるという《気後れ》である。

第Ⅱ部

攻撃側のさまざまな訴因

第7章　瀆神

一七世紀末になってもスコットランドの学生トマス・エイケンヘッドが瀆神の罪で死刑に処されたことが示すように、瀆神は本書で扱う「十罪」のうちでも最も深刻なものである。本章では古代ローマの詩人ルクレティウスに対象を絞り、後世に彼のテクストを出版した人びとが無神論という告発や非難からルクレティウスや自分を弁護した戦略を見たい。ルクレティウス自身にはそういう自己弁護の言葉はない。彼の表明するエピクロス主義は当時の上流階級や文人の間で人気のある哲学だったので、それを表明したからといって筆禍を招くという危険はなかったからである。けれどもキリスト教社会になると、その教義に真正面から抵触するエピクロス主義のテクストを出版すること自体、原典であれ翻訳であれ注釈であれ、大きな危険を招く恐れがあった。以下、おおよそ出版年順に分析したい。

マヌティウス

ヴェネツィアの出版者アルドゥス・マヌティウス（一四五〇頃―一五一五年）はギリシア、ラテンの古典を多数出版したことで有名だが、そのなかに一五〇〇年に出版されたルクレティウスのテクストがある。そこにあるアルベルト三世・ピオへの献辞にはこうある。

> 最も教養あるアルベルト様、好意をもってこの書をあなたの最も知識あるアカデミアに受け入れるべきです。それはあなたの権威と雅量にふさわしいからです。それは真実でわれわれが信用すべきことを彼が書いたからではありません。なぜなら彼はアカデメイア派やペリパトス派とも、われわれの神学者たちとも考えが大きく異なるからです。そうではなく、エンペドクレスをまねて、エピクロス派の教理を優雅に学問的に詩に委ねたからです。（*T. Lucretii Cari libri sex nuper emendati*, n. p.）

基本的戦略は伝統レトリックの《転移の問題状況》に持ち込むことである。つまりどんな規準で見るかという問題について、教義書としてではなく、芸術作品（「優雅に」）、学問的資料（「学問的に」）としてであると主張する。これはこのあと連綿と続くルクレティウス出版の序文で繰り返されるモチーフになっていく（ちなみに、瀆神という攻撃に美的・芸術的価値を持ち出して反撃する戦法は、現代作家に至るまで使われ続けている）。

確かにこれは一定の説得力を持つ論法である。芸術作品については、内容から独立に形式を味わうことができるというのはそれなりに賛同者の多い見解だし、学術資料については、書かれている内容から学者は距離をとることができるというのは今日では自明の理だからである。他方で、そもそもイデオロギー的内容や信念に共鳴できなければ文学作品を十分に味わうことはできないというブース的立場[1]からすれば、前者の説得力は限定的たらざるを得ないだろう。また当時、学問の対象と主体の分離が今日のように通念となっていたかどうかは疑問である（そうでなければ、わざわざ言う必要はなかったろう）。ポリフォニー標識としては《否定》（「ありません」）がある。ルクレティウスは教理の書であるという一般常識を他者の声として響かせたうえで、自分の対声を響かせている。メタ談話標識としては「べきです」が《義務動詞》にあたる。

マヌティウスは一五一五年に再版を出した。その献辞では肯定的調子は消え、否定一色となる（何かあったのだろうか）。

> ルクレティウスは、あなたにとっても古代人の判断によっても最大の詩人であり、哲学者ですが、虚偽に満ちています。なぜなら神、世界の創造についてプラトンや他のアカデメイア派と大いに異なる見解を持っているからです。というのもエピクロス派に従ったからです。キリスト教徒は彼を読むべきですらないと考える人びともいます。その人びとは真なる神を賞賛し、崇拝し、あがめています。しかし真理は、探究すればするほど、いっそう輝かしく、いっそう神々しく現れますが、カトリック信仰も同じです。それを最善・最大の神イエス・キリストは人びとの間にあるときに述べました。ルクレティウスとルクレティウスに最も似た人びとは読むべきだと思われますが、誤った者、嘘つきとしてです。さてわれわれの述べるのはこれだけです。本書の読者でルクレティウスのたわごとを知らない人がいるなら、われわれからそれを学んでください。（*Lucretius*, iv-iir.）

「しかし」という標識で表示されたポリフォニーは、もはやルクレティウスの肯定的評価と否定的評価の間のものではなく、否定的評価の内部で読むか読まないかの間のものとなっている。序文の著者は読むべきという立場だが、それはいわば反面教師としてである。さて何かが反面教師として機能するためには、それが反面教師であるという認識が読者になければならない。つまりここでの《内包された読者》は、キリスト教に反するものを「虚偽」、「誤った者、嘘つき」、「たわごと」と認定するすぐれた知力と、決してそれに感化されない確固たる意志を持つ者である。それに対して「読むべきですらないと考える人びと」はそういう《内包された読者》は現実の読者に一致しないと考える人びとである。

ランバン

それから約半世紀を経た一五六三年にドゥニ・ランバンが新たなテクストを刊行する。そのシャルル九世への献辞で、伝統レトリックにおける《予防論法》が用いられている。

しかしルクレティウスは霊魂の不滅を攻撃し、神々の摂理を否定し、すべての宗教を破壊し、快を最高善としている〔という攻撃が予想される〕。だが、これはルクレティウスが付き従うエピクロスの罪であって、ルクレティウスの罪ではない。(*Titi Lucretii Cari De rerum natura libri sex* (1563), a3r.)

訴える。

「だが」という《譲歩》のポリフォニー標識、末尾の「ない」という《否定》のポリフォニー標識は、攻撃者の声を響かせつつそれをしりぞける文型を形づくる。しりぞける手法は伝統レトリックの《転送論法》である。これもルクレティウス弁護でよく使われる。ここではルクレティウスのテクストが表明する思想の起源であるエピクロスに告発の矛先を向けかえている。次いでもう一つの戦略に訴える。

詩自体は確かにわれわれの宗教とは相いれない内容のためのものだが、それにもかかわらず詩である。単に詩であるというだけなのか。そうではなく優雅な詩、華麗な詩、天才のすべての輝きで飾られ、際立ち、装飾された詩である。(ibid.)

マヌティウスも用いた《転移の問題状況》、つまり内容でなく美的形式で評価すべきだという主張である。ポリフォニー標識としての《譲歩》(「だが」)やメタ談話標識としての《設問法》(「なのか」)も顔を出している。著者は内容についての手当ても忘れない。

他方、エピクロスのこれらの馬鹿げた不合理な議論、あるいはまたアトムの偶然的衝突について、無数の世界についてのあの愚かな議論を論駁するのはわれわれには難しくないし、必要でもない。(ibid.)

もののわかった人なら、その誤謬に気づくはずだという反面教師論法である。次いで、読まれる内容から読む者を距離づける、マヌティウスにもあったモチーフが現れる。

しかしエピクロスとルクレティウスは不信心である〔という攻撃が予想される〕。だからどうだというのだ。だからといってそれを読むわれわれも不信心なのか。(ibid.)

次いで伝統レトリックの《比較論法》が現れる。

まず、他の哲学者たちの見解と学説に一致するどれほど多くのことがこの詩にあることか。蓋然的なことがいかに多くあることか。明確で神的ですらあることがいかに多くあることか。われわれはそれらを肯定し、受け入れ、是認しよう。誤ったもの、不合理なもの、キリスト教と矛盾するものは拒否し、無視し、否認しよう。(ibid., a3r.-v.)

三つ組で全体が構成されている。つまり肯定的に評価できるものと、否定的に評価すべきものがそれぞれ三つ並べられ、評価を表す行為動詞もそれぞれ三つ並べられている。これは短所と釣り合うほど多くの長所があるということを構成の反復によって強調する《比較論法》である。前半の三つの文はいずれもメタ談話標識としての《設問法》の形をとっている。後半の「肯定し、受け入れ、是認しよう」と「拒否し、無視し、否認しよう」は、それぞれが類義語を重ねる《類義累積》というフィギュールであり、メタ談話標識としては《包括表現》である。レトリカルな一節である。

ヒッフェン

一五六六年に出版された校訂本の序文で、文献学者・法学者のヒューベルト・ファン・ヒッフェン（一五三四―一六〇四年）はこう書きはじめる。

ひどく非難しようとし、不信心な詩にこれほどの労力を捧げたと私を告発するであろう者たちがいるだろう。〔彼らが言うには〕霊魂は死すべきものだと説こうと努め、われわれの救いと幸福な生のすべての望みをしりぞけ、われわれとキリスト教信仰の船と船尾が構成される神の摂理を否定するのはあのルクレティウスであるから。最後に、彼は個々のアトムについてのあのデモクリトスとエピクロスの最も馬鹿げた説を自分の詩で表現した。（*T. Lucreti Cari De rerum natura libri sex*, 3v.）

予想される攻撃の先取りである。このあと伝統レトリックの《予防論法》が続く。

この告発は最も重大であり、確かに最初私をひどく動かした。しかし事柄全体を注意深く認識するなら、その告発の議論に最大の重みが認められるとはいえ、最も卓越した詩人の作品と苦労が死滅し軽蔑されるほどの力を持つべきではない。(ibid.)

「とはいえ」はポリフォニー標識の《譲歩》である。攻撃側の議論の重みと自分の防御の議論の重みを比べた場合、後者のほうに軍配が上がるという、ランバンも用いた《比較論法》である。「持つべき」はメタ談話標識の《義務動詞》、「ない」はポリフォニー標識の《否定》である。このあと言語行為としての《正当化》が続く。

なぜならマルクス・トゥッリウス〔キケロ〕の著作の大部分も同じ理由で軽蔑すべきだということになってしまうからだ。なぜなら摂理と霊魂の本性について、そして特にあのアトムについてこの詩と同様のことが論じられ、しばしば最も激しく擁護されているからである。(ibid.)

異教のキケロの書も認められているのだから、ルクレティウスも認められるべきであるという《正当化》である。第一の文の「なってしまうから」は、書かれない条件節に対する帰結を表すので、ポリフォニー標識としての《条件文》である。

それどころか、ほとんどすべての古代の著者――そこには多くの不信心なもの、残酷なもの、醜いもの、かなり多くの不道徳なもの、誤ったもの、ばかばかしいもの、不適切なものが無数に現れている――を捨てなければならないだろう。もし彼らの著作がキリストと神の教えとわれわれの信仰の規範を追い払うとしたなら、要するにほとんどすべての時代の作家、詩人、歴史家、弁論家、哲学者を捨てなければならないだろう。(ibid., pp. 3v-4r.)

引き続き《正当化》という言語行為が、《条件文》というポリフォニー標識を介して行われているのが読み取れる。

したがってバシリウス、ヨアヒム、その他思慮ある人びとの忠告と警告に従おう。彼らはいわばこれらの岩礁において安全な航路、キリスト者が真に保つことができるような航路を示している。つまり不信心なこと、神の威光を傷つけ、われわれの救いに矛盾すること、よい習俗と公共の事柄に反することを捨て、反駁し、あの哀れな人びとについて悲しみ、無視し、馬鹿げたことを嘲笑し、論駁するのがよいということである。それ以外は神に対する敬虔を勧めるもの、国家を正しく構成し、建立すること、よい性格を形成すること、心のうちを伝える言葉を磨き洗練することに関わるものであるから高く評価しよう。(ibid., 4r.)

すでに「とはいえ」で標識づけられた《譲歩》の文でスケッチされた《比較論法》を敷衍して、長所と短所をそれぞれ枚挙している。

イーヴリン

イギリスの著作家ジョン・イーヴリン（一六二〇―一七〇六年）は一六五六年出版のルクレティウスの翻訳の「読者へ」において、〈他の異教の著者たちを最上のキリスト教徒たちも引いている〉という趣旨の、すでに見られた《正当化》をしたあと、こう書いている。

そして詩人が……われわれの信仰に関わる、あるいは有害に見える箇所を持っているとしても、その最もすぐれた規則やまれな言説で最も厳格で道徳的な生活を勧めるはるかに多くの箇所をも持っている。（Evelyn 1656, A8v.）

ランバンやヒッフェンと同じく《比較論法》が使われているが、「はるかに多くの」という数量詞が短所と長所の比較に持ち出されている点が新しい。「持っているとしても」はポリフォニー標識の《譲歩》である。そして、少し前の時代に属するピエール・ガッサンディ（一五九二―一六五五年）の『エピクロスの生涯と性格について』（一六四七年）から引用したラテン語の比喩で締めくくる。

いくつかの悪のためにこれほど多くの善を取り除くのは、バラがとげと絡み合っているからといってバラ園を破壊するのと同じように不適切である。（ibid., A9v.）

ハッチンソン

そうかと思うと、徹頭徹尾逃げに走る人もいる。イギリスの著作家ルーシー・ハッチンソン（一六二〇―八一年）のルクレティウスの翻訳（一六七五年）にはアーサー・アンズリー（一六一四―八六年）への献辞がある。

これほど無価値な著作をそのようなお手に差し出す傲慢さから、閣下のご命令は私を解放してくださるでしょうから、閣下がこの本をどこに置かれようとも、以下の記録をつけて保存していただくというさらなる名誉を、私の従順さに報いるために、私にお許しいただけるようお願いいたします。その記録とは、私はその中の無神論と不信心を嫌悪しており、また聞きでこんなに多くその話を聞いたことを理解したいという若気の好奇心だけからそれを訳したのであって、その中にある邪悪で危険な学説を広めようという気はまったくなかったというものです。（*Memoirs of the Life of Colonel Hutchinson*, p. 400）

伝統レトリックの《転送論法》であり、言語行為としては《弁明》である。訳したのは「若気の好奇心」ゆえで、手稿が出回ってしまったのは他の人のせいで、自分は「広めようという気はまったくなかった」し、献呈するのは「閣下のご命令」ゆえだと、全部責任転嫁している。ポライトネスの《尊敬》、《謙譲》表現も目立つ例である。

デュファイ

フランスのミシェル・デュファイは『王太子のための古典ラテン文集』の一つである一六八〇年の

ルクレティウスのテクストの献辞で、内容ではなくラテン語の美しさの手本としてルクレティウスを薦めたあと、こう書いている。

> しかし、もしその著者においてそれ以上多くのものがよい習慣に反するものとしてお気に障るなら、王太子様、この作品を手渡すのにあなた以上にふさわしいだれがありえたでしょう。あなたは心の明晰さと判断力の鋭さも、性格の完全さと高潔さもお持ちですから、真を偽から、正を不正から識別することがおできになります。そして新奇さが誘惑する以上に、心の大きさがあなたを事物の本性の探求へと鼓舞します。（*Titi Lucretii Cari de rerum natura libros sex* (1680), a3r.-v.)

傍線部で王太子が《直接的に特徴づけられた読者》として現れていることに注目すべきである。

こうして見てくると、ルクレティウスに対するスタンスも、自分の出版行為に対する態度も、使用する説得手段も、それぞれの状況に応じてさまざまであることがわかる。

第8章　猥褻

猥褻も序文での対処を迫られることが多い問題である。本章では、猥褻という非難を浴びた古代ローマのテクストを近代以降の人が出版するときに付けた序文を中心に見ていく。猥褻について防衛する序文の集積が見られるからである。

「猥褻」なテクストの序文の著者には、まず二つの選択肢が与えられていた。そもそも出版しないか、出版するか、である。そして出版する場合には二つの選択肢がある。「猥褻」箇所をそのまま出すか、「浄化（expurgate）」するかである。[1]「浄化」には選択、置換、削除という三つの手段がある。選択とは、小品の集積である著作において「猥褻」でない作品だけを選ぶことである。置換とは作品の中の「猥褻」な語句だけを他の言葉に置き換えることである。削除とはそういう「猥褻」な語句だけを削除することである。これらの措置はいずれも防御が必要になる。そのまま出せば〈猥褻である〉という矢が、浄化すれば〈原文は尊重すべきである〉という矢が飛んでくるからである。

出版自体の可否

まず、するかしないか迷ったとき、大抵はしないほうがよいという兼好法師の言葉にしたがって、そもそもそんなあぶない本は出版しないという選択肢もある以上、出版するとなれば一言述べなければならないと感じた人がいる。イギリスの詩人ジョン・ドライデンである。ルクレティウスの抄訳に付けた序文で彼は異議を予想する。

ルクレティウスの第四巻から、愛の本性を私が英訳することに対して異議が申し立てられる理由が、それもある程度重大な理由があることは確かである。（Dryden 1808, p. 274）

そして論点を分割する。

そして私がそれをそのように訳したわけよりも、訳したこと自体のわけを答えるほうが難しい。異議は主題の猥褻さから生ずる。それは詩のあまりに生き生きとした誘惑的な精妙さによって倍加されている。（ibid., p. 275）

そもそも訳した理由と、そういう仕方で（つまり浄化せずに）訳した理由の両者を述べる必要があると言う。このうち後者はのちに扱う論点なので、ここでは前者を取り上げよう。

まず、弁明の形式的手続きはまったくふまずに、それが私を喜ばせるということを白状する。そして私の敵はこの白状をいかようにも悪くとるがよい。私はまだその情念から逃れられないが、ただし私の著者の解毒剤を私は欲している。彼は私の知る限り、病とその治療の最も真実で最も哲学的な説明を与えた。それが理由で私は彼を訳した。(ibid.)

二つの理由が挙げられている。一つは単純にそれが自分を喜ばせるというものである。もう一つは、たとえよからぬ「情念」が喜びの中に含まれているとしても、著者ルクレティウスはそれに対する「哲学的」「解毒剤」を与えているというものである。これはルクレティウスの信奉するエピクロス主義が、感情に乱されない心の平安を説いたことを指している。

浄化しない

次に、出版するという場合であるが、先ほど述べた二択のうち、そのまま出すという選択をした序文をまず取り上げる。それを伝統レトリックで分析するとどうなるだろうか。最初に目につくのは、猥褻というデメリットを上回るメリットがあるという伝統レトリックの《比較論法》である。そのメリットとしてよく持ち出されるのは美的価値である。

一七五四年にパリで出版された古代ローマの詩人マルティアリス（四〇頃―一〇四年頃）の翻訳の「読者へ」で、匿名の著者はこう書いている。

健全な廉恥心を持つ自由人なら読めそうにないものも彼には少なくないけれども、最高の才能のまれでない光がその雲の間から輝き出て、確かに生動的で精妙なものが至る所に現れると言わねばならない。そしてその中に少なからぬ魅力と鋭さを、そして多くの辛辣な雄弁を見いだすに違いない。（*M. Valerii Martialis Epigrammatum Libri*, p. iii）

「光」、「生動的」、「精妙」、「魅力」、「鋭さ」、「辛辣」は当時の美的価値の標準的レパートリーである。それを猥褻という否定的価値と比較しているが、美的価値のほうは「まれでない」、「至る所」、「少なからぬ」、「多くの」と多数の数量詞を伴っているのに対して、猥褻のほうは「少なくない」一つだけであることは、天秤が美的価値に傾くことを視覚的に表示している。「けれども」で接続される《譲歩》の文型は、猥褻だという他者の声を響かせつつ、美的という自分の声も聴かせるポリフォニーとしても分析できる。《確実性標識》の「に違いない」、《義務動詞》の「言わねばならない」というメタ談話標識にも注目してよい。

ドイツの文献学者フリードリヒ・ゴットリープ・バルト（一七三八—九四年）は古代ローマの詩人プロペルティウス（前四八頃—前一六年頃）の校訂本の序文でこう述べている。

どの程度のものであれ醜いものに関わり、しかも欲望をかきたて、若者の心にそれ自体確実な疫病をもたらすこと以外の何もしないようなものであるなら、もしだれかがそのような書物は若者から取り上げ、いわば力で奪い取るべきだと叫び、迫るにしても、私は手を出さないだろう。しかし、もしその本がいくつかの箇所でのみ若者のよい性格を害することがありうると思えるとしても、最も厳しい検閲者たちでも読むような多くの輝かしい、荘重な、美しい、優美な言葉を含んでいるのに若者から取り上げるなら、そのような本の著者に対してわれわれは不正を働くことになるだろうし、偏見の鎖に縛られていない者は誰でも、われわれが若者のことをろくに考慮しなかったと判断するだろう。（Barth 1777, p. vii）

「しかし」と「としても」で接続される二重の《譲歩》文型が見られる（したがってポリフォニーである）。最初の《譲歩》は二つの文にまたがって構成されるもので、猥褻だけで他に長所のないものはしりぞけるべきだが、長所のあるものはそうではないという趣旨である。第二の《譲歩》は第二の文の内部にある。前の例と同じく、《譲歩》文型のうちに猥褻と美的価値――「輝かしい、荘重な、美しい、優美な言葉」――を流し込むレトリックがみられる。害は「いくつかの箇所でのみ」であるのに対して、長所は「多く」あるという対比は、後者が数の点でまさっていることを表現している。

そのバルトも引きつつカトゥルスの註釈付きテクストを出版したドイツの古典文献学者フリードリヒ・ヴィルヘルム・デーリング（一七五六―一八三七年）は序文でこう書いている。

カトゥルスを読むと若者の心は堕落し、よい性格は腐敗すると騒ぎ叫ぶ人びとの大声は私の努力を鈍らせることも、心を砕くこともできなかった。ハイネがティブルス初版の序文で、バルトがプロペルティウスの序文でこれらの異議に対して見事に返答したことは、企てられた仕事を弁明するのに十分だと思われるからである。つまり彼らは詩的美しさを勉強する若者たちを、いっそう軽い、恋愛詩に才能を使った詩人たちも、いっそう重大で真剣な勉強のあとでは楽しみと喜び

> のために読むことへと、いかなる誘いによるにせよ誘い、鼓舞した。(Döring 1788, pp. iv-v)

「詩的美しさ」、「楽しみと喜び」という長所は、「若者の心は堕落し、よい性格は腐敗する」という短所を凌駕するという《比較論法》である。「できなかった」はポリフォニー標識の《否定》である。

> この男たちの議論が横柄な人びとと道徳の迷信的な譴責者たちを満足させないならば、カトゥルスと他の詩人たちを危険と呼び、まるで疫病のように非難すべきであり、若者の性格と感覚のためには若者の手よりもむしろ火山に引き渡すべきだと彼らが考えるのは勝手である。しかしその者たちが何と言おうと、古代の洗練と美の観察者すべては、立派な徳と性格の高潔さを持っているので、その名誉がムーサたちにとどまる限り、現在も未来も、大きな成果と快を持って読まれ、推薦されることを私は疑わない。(ibid., p. v)

「洗練と美」、「大きな成果と快」という美的メリットと、「道徳」的デメリットでは、前者が上回るという《比較論法》である。「しかし」は道徳性を重視する他者の声に、美や快を重視する自分の声を対置するポリフォニー標識の《譲歩》である。「疑わない」はメタ談話標識の《確実性標識》である。

美的価値ではなく道徳的価値を《比較論法》で持ち出す人もいる。先ほど挙げたルクレティウスの翻訳に対する二つの異議のうち第二のものにこたえるドライデンである。

しかし、この肉感的な英語に訳したわけが問われるだろう。というのも、それ以上悪い語を私は与えないだろうから。答えの代わりに、再度私は横柄な敵に問うことにしよう。私がある著者を訳すとき、できるだけ正しく彼に対処し、最も彼の利益になるようにする義務はないか、と。もし正直で教訓的な彼の意味を婉曲に言うために、彼の言葉の一部を除去したり、彼の表現の力を奪ったりしたならば、確かに彼に悪いことをしたことになろう。そして思考と語の自由さが私の手で排除されるなら、彼はもうルクレティウスではなくなってしまっただろう。(Dryden 1808, p. 275)

訳者は読者に対する責任と原著者に対する責任を秤にかけ、後者を優先させるという判断をし、削除や置換はすべきでないと傍線部で述べている。

そしてもしこの種のものは何も読まれてはならないのなら、医者は自然を研究してはならず、解剖は見られてはならず、下品さを避けるために名は伏せるが、いくつかの本の特定の箇所についても同様のことを言うことができよう。(ibid.)

他にも似たものがあるが、それらは規制されていないと言うのは、言語行為の《正当化》である。「ならないのなら」は、その中に組み込まれたポリフォニー標識の《条件文》を表示している。

しかし意図が行為を正当化する。そして私と私の著者の意図は喜ばせることと同じくらい教えることだった。(ibid.)

「喜ばせること」と「教えること」を詩の二つの目的とするのは、教訓――つまり道徳的価値――と快楽を詩の目的としたホラティウスの伝統に立っている。「喜ばせる」単独ではネガティヴな点を凌駕しないかもしれないが、「教える」というメリットを合わせれば、デメリットを上回るという《比較論法》である。

あからさまに卑猥な語は、機知の考えうる最も貧しい見せかけであることは最も確かである。(ibid.)

それから「あからさまに卑猥な語」を著者は書いてはならないという二つの権威を引いたあと、

しかしこれらのいずれも私のケースには当たらないだろう。(ibid., p. 276)

と述べる。「しかし」は前の引用の「最も確かである」に対応して、ポリフォニー標識の《譲歩》を構成する。つまり「あからさまに卑猥な語」なら、しりぞけるべきだという世間の声に自分も同調するが、自分の言葉はそうではないという主張である。

なぜなら、第一に、私は翻訳者にすぎず、創作者ではない。したがって非難の最も重い部分は、私にあたる前にルクレティウスにふりかかる。(ibid.)

翻訳の言葉は自分のものではなく原著者のものであるという《転送論法》である。原作者に対する非難がどのくらい訳者に転移されるべきかは、一般的には千差万別だが、ここでは原作者のほうに第一義的責任があるという立場がとられている。

次に、意味の露骨さを緩和するため、彼も私も最も卑猥な語ではなく、見いだしうる最も清潔なメタファーを用いた。要するに哲学的役割が要求する以上に詩的役割を担うことはなかった。(ibid.)

「最も卑猥な語」ではなく「メタファーを用い」ることによって「猥褻」さは抑制されているのだから、「哲学的役割」すなわち道徳的効用がそのデメリットを上回るという《比較論法》である。《比較論法》と並んで《転送論法》もよく使われる。カトゥルスの翻訳でウォルター・キーティング・ケリーはこう書いている。

彼の詩のいくつかは、不快な努力なしにはいっときの言及すらできない下劣さの痕跡ゆえに醜悪である。しかしほとんどすべてのローマ詩人にそういう部分がある。(Walter K. Kelly 1854, pp. 2-3)

「しかし」はポリフォニー標識の《譲歩》である。「醜悪」であることは認めつつ、それは他の人びとと共有するものだったと書いて、《転送論法》の下地をととのえる。

そしてカトゥルスの小品のこれら多くの醜行とみだらな下品さに対するわれわれの自然な嫌悪のただなかにあって、これらのものは個人というよりは時代の悪徳だったことを思い起こすのが正当である。(ibid., p. 3)

個人ではなく古代ローマという時代のせいにする《転送論法》である。「正当である (right)」はメタ談話標識の《態度的形容詞》である。そして自説の補強のために、イギリスの辞書編集者ウィリアム・スミス（一八一三—九三年）の『ギリシア・ローマ伝記神話辞典』の一節を引く。

「カトゥルスの卑猥さは好色なイメージにふけるみだらな想像力に由来することはめったになく、むしろ表現の習慣的猥褻さに由来し、当時のローマの同性愛社会の習俗と会話の公正な再現を与える」。(ibid.)

実は前の引用の「これらのものは個人というよりは時代の悪徳だったことを思い起こすのが正当である」もスミスから一字一句写しているのだが、引用符をつけていない。したがって厳密に言えばケリーの剽窃である。故意か過失かはわからないが、ほめられたことではない。

《対比暗示推論法》を用いる人もいる。古代ローマの作家ペトロニウス（生年不明—六六年）の『サテュリコン』の翻訳（一六九四年）の序文におけるイギリスの喜劇作家ウィリアム・バーナビー（一六七二／七三—一七〇六年）である。

このような性質のものを翻訳すべきではないという異議を唱える人は、ユウェナリス、スエトニウスなどの各バージョンの罪状認否を問わなければなりません。しかし歴史において許されるとスエトニウスが考えていたことは、サテュロスではなおさら許容できると冷静な人ならだれでも思うでしょう。(Burnaby 1694, n. p.)

あまり誇張が許されない歴史でも卑猥な叙述が許されるのだから、ジャンルとして誇張が容認される風刺文学ではなおさら……という《対比暗示推論法》である。

最後に示すのは《比較問題》である。アプレイウスの『変容』（『黄金のろば』）を訳したフランシス・デーヴィッド・バーンは、若者向けの既存の訳で猥褻箇所が「浄化」された場合の結果をこう叙述する。

切り取られ切断された形でこれらの書を知恵のない者たちに渡すことの愚かさを想像してみるがよい。それらの目的は曖昧になり、それらの言葉は無意味になるのに、それらを天才の所産として提示することになる。若者の精神にそのような推薦がどんな結果を生むことか。まず完全な当惑が、次に、知識が生まれると、自分より年上で、自分より賢明であるべきだった人びとによって、自分に損害を与えつつなされたあるまじき欺瞞に対する憤激の感情が生まれる。(Byrne 1904, p. xxxix)

「浄化」すると未熟な時には原典のよさがわからなくなり、なぜこれが第一級の古典なのかと困惑する。成熟後は「浄化」に憤激する。いいことは一つもない。したがって「浄化」するよりも「浄化」しないほうがよい、という論法である。

浄化しないという立場の序文は、言語行為という観点からも分析できる。先ほど《転送論法》の例として引用したケリーの序文は、同じことをやっていておとがめなしの人が他にもいるから無罪であるという《正当化》としても記述できる。

読者が正しく理解すれば悪ではないという《説明》と、《正当化》の両方がみられる例が、マルティアリスの翻訳につけられたイギリスの翻訳家・編集者ヘンリー・ジョージ・ボーン（一七九六—一八八四年）の序文にある。

当時はびこっていた二つの大きな悪徳に対する彼の一貫した厳しい譴責と、それを述べる彼の断固たる大胆さが、猥褻な詩人という評判を彼に与えたことは認めなければならない。しかし彼の叱責はよく管理され、疑いなく有益な結果を生んだ。ホラティウス、ウェルギリウス、ユウェナリス、カトゥルス、その他古代の大詩人たちは同じ自由を享受した。(Bohn 1865, p. iii)

第一と第二の文は、悪徳を勧めるのではなく叱責していることを読者が理解すれば、「評判」が誤りであることがわかる、という《説明》である。第三の文は、他にもいるから無罪であるという《正当化》である。

読者という観点から分析できる例には、先ほどのバーナビーによるペトロニウス訳の引用およびそれに続く部分がある。

しかし歴史において許されるとスエトニウスが考えていたことは、サテュロスではもっと許容できると冷静な人ならだれでも思うでしょう。これは良俗を害するものではありえません。なぜならその大部分は、自然においてすらそれの回避があるような悪徳の提示なのですから。また、どんな悪人でも善人を別の性格、性質へと説得することはできません。何人かの古代人が才知ある華麗なこととして行っていると誤認したものは人間性に反することをわれわれが知っていることは、よい目的、つまりわれわれ自身の幸福を知るために使うことがたぶんできるでしょう。したがって私はこれらの罪を表現することに快楽を感じているわけではありませんから、それらが嫌悪されればされるほど、私にとっては意味があるのです。(Burnaby 1694, n. p.)

「冷静な人」、「善人」は《直接的に特徴づけられた読者》であり、著者が望む読みを表示している。瀆神についても見られた反面教師論法である。

選択による浄化

以上が「猥褻」をそのまま出す人だが、今度は選択派の論陣を見よう。その例はイギリスの古典学者フレデリック・アプソープ・ペイリー(一八一五—八八年)によるマルティアリスの校訂本の「読者へ」にある。彼はまず異議を予想する。

機知がいかに輝かしく、ローマの家庭生活とローマの地誌の細部がいかに価値あるものであろうとも、マルティアリスの詩とラテン語がいかに賞賛すべきものであろうとも、その四分の一以上は極めて卑猥で、一般の読書には全く不適であるという、学校での寸鉄詩の利用には妥当な異議がある。(Paley 1868, p. iv)

そしてこれまでは「浄化」という手段が選ばれてきたとする。

同じことはカトゥルス、ユウェナリス、アリストパネスその他にも正当に言える。しかしそれら

> が学校で容認されるだけでなく、きわめて人気があるようにするために、浄化という救済手段が長く使われてきた。(ibid.)

「浄化」は本章では選択も含めて用いているが、ペイリーは選択と区別してこの語を用いている。そして選択と「浄化」を比較し、前者を採用する。伝統レトリックの《比較問題》である。

> 選択がわれわれの決めた計画だが、明らかに浄化にくらべて長所を持っている。(ibid.)

そしてその理由を述べる。

> そして幸運にもマルティアリスはすべての著者のうちで選択に最も適している。というのも、各々の寸鉄詩はそれ自体で完結しているから。(ibid.)

スコットランドの古典学者ウィリアム・ヤング・セラー（一八二五―九〇年）もマルティアリスの校訂本の序文でこう主張する。

> しかし彼の著作の重要性と意義は大きいけれども、そのテクスト全体を学生の手に渡すことはできない。そしてローマ文学のこの最も価値ある頁が完全に彼らに閉じられてはならないのなら、

選択が不可避になる。しかし幸運にも、これほど厳格に検閲を要求する著作はないが、これほど進んで検閲に向いていたり、その過程でだめになったりしないものもない。これほど全体として研究する必要がない著者はいないし、省略が残ったものの価値をそこなわない著者もいない。（Sellar 1884, pp. iii-iv）

ペイリーと同じく、短詩を集積するマルティアリスは省略によるダメージが小さい作家であるという理由で選択を擁護している。削除や置換との明示的比較はないが、潜在的にはそれらの間の《比較問題》として扱っている。「けれども」はポリフォニー標識の《譲歩》、「幸運にも」はメタ談話標識の《態度的副詞》である。

選択されない詩の属性をたくさん挙げる人もいる。イギリスの著作家ウィリアム・ヘイ（一六九五―一七五五年）はマルティアリスの翻訳の序文でこう書いている。

〔本書は〕彼のエピグラムすべての翻訳ではない。それは許されないだろう。多くは人間の品位にふさわしくない猥褻さに満ちている。ローマ人にふさわしくない追従に満ちているものもある。そして読者を飽きさせぬよう、彼自身の著作についての多くが省略されている。いくつかは翻訳を許さないだろう。そしていくつかは翻訳するにはつまらなすぎるだろう。この最後の種類については、もっと削除しても私は許されていただろう。私が選んだのは一般に道徳的で教訓的なものである。そこでは多数の人物が登場し、多くの人の愚行と欠点が公正に嘲笑されている。

(Hay 1755, A3r.-v.)

選択しなかった理由は大きく二つに分けられる。道徳的理由（猥褻、追従）と美的・芸術的理由（倦怠、翻訳不可能、面白くない）である。選択しなかった理由を挙げるだけで、他の方法との比較がないので、論法としては不完全だが、文学作品が持ちうる多様な価値について何事かを語っているので、紹介した。

置換による浄化

次に置換派の言い分を聞いてみよう。イギリスの翻訳家フランシス・ウォルファーストン（一六三八―一七一二年）が訳したオウィディウス『恋の技法』の「好意ある読者へ」にはこうある。

そしてオウィディウスのこの詩は（彼の『愛の歌』とこれを混同した）何人かの人によって不謹慎でみだら過ぎると告発されているけれども、私はそれを慎みある意味の英語に訳したので、（もし彼らの判断が私の期待にこたえてくれるなら）最も潔癖な耳にも障らないだろう。(Wolferston 1661, A3v.)

「慎みある意味の英語に訳した」という言い方は、原語は「慎みある意味」のラテン語ではないことを含意しているから、置換したことを示唆している。「けれども」はポリフォニー標識の《譲歩》である。

いっそう陰影づけられた議論がイギリスの医者・古典学者ジョン・ノット（一七五一―一八二五年）によるカトゥルスの対訳本の序文にある。

原文では常に保存し、何とか翻訳も試みた、われわれの詩人にしばしば現れる猥褻は、釈明が必要だと思われるだろう。なぜなら私はカトゥルス全体を隠し立てせずに与えたからである。慎み深い読者はそれらを省くのが最上だと考えるかもしれない。しかし知識を求める学習者はローマ時代のみだらさと広範な風刺をも知りたがるだろう。(Nott 1795, pp. x-xi)

「カトゥルス全体を隠し立てせずに与えた」という言葉によって、方法として少なくとも選択と削除が排除されたことがわかる。「しかし」はポリフォニー標識の《譲歩》である。選択や削除をすべきという他者の声に対して、それをすべきでないという自分の声を対置している。伝統レトリックの《比較問題》である。

古典が訳され、説明される場合、その著作は歴史の連鎖の一つのリンクをなすと考えられよう。歴史は変造されてはならないから、幾分フェアに訳さなければならない。そして著者が自分の時代の風習を与える場合、それがわれわれの感覚にとっていかに不快で、われわれの本性に反するものであろうとも、慎み深さをうるさく顧慮することによって、それを翻訳で伏せたり、糊塗しすぎたりしてはならない。私は著作全体で、言語の節度を超えない範囲で、われわれの詩人の意味を最も十全に伝えようと努めた。(ibid., p. xi)

「幾分フェアに」、「糊塗しすぎたりしてはならない」、「節度を超えない範囲で」という言い方は、原典への忠実さと、置換による「猥褻」の回避との間でバランスをとったことの表明である。そして原典の毀損も道徳性の毀損も限度内であるとするのは、いずれの行為をも小さく見せようとする、伝統レトリックの《量の問題状況》である。その言葉どおり、本文ではうまくごまかして訳していることは、たとえば第一六歌を見ればわかる。「訳さなければならない」はメタ談話標識の《義務動詞》、「あろうとも」はポリフォニー標識の《譲歩》、「糊塗しすぎたりしてはならない」はメタ談話標識の《義務動詞》である。なお、多少とも「糊塗」されたテクストで「カトゥルス全体を隠し立てせずに与えた」ことになるのか、「ローマ時代のみだらさと広範な風刺」を知ることができるのか、というつっこみはシカトするつもりらしい。

削除による浄化

最後に削除についての言い訳を見よう。カトゥルスの翻訳を出版したジェームズ・クランストン（一八三七―一九〇一年）は序文で、カトゥルスの作品全体の訳には異議を申し立てる人もいるだろうが、しかし猥褻な詩を除けば量が「半分」になってしまい、もはやカトゥルスではなくなってしまうのでそうすべきではないと述べたあと、この翻訳では、きわめてまれな例を除いて、たとえ一行たりとも省略はしなかった。そして省略されたのは、対応する英語を出すのが不適切だと考えられた場合だけである。(Cranstoun 1867, p. vi)

と、削除が最小限であることを強調している。伝統レトリックの《量の問題状況》である。実際に訳を見ると、「悪名」高き第一六歌のあの冒頭はさすがに削除しているが、確かにカトゥルス全体の「半分」は削除していない。なお、「しなかった」はポリフォニー標識の《否定》である。彼は置換という方法も併用する。

明白な理由から、他と同じくらいの言語的正確さをもって訳さなかった詩もある。しかしそれらすべてにおいてできるだけ原文の力と魂を維持することが翻訳者の目的だった。(ibid.)

原語との距離が最小限であるとするのは、やはり《量の問題状況》である。「しかし」はポリフォニー標識の《譲歩》である。

削除による「浄化」は古典作家に限られない。有名な例はイギリスの医者トマス・バウドラー（一七五四―一八二五年）の『家庭用シェイクスピア』（一八〇七年）だろう。シェイクスピアのテクストでセックスに関わる語をすべて削除するというあらわざをふるったその書の序文にはこうある。

彼の最も熱心な賞賛者でも、われわれの不滅の詩人の著作にいくつかの欠点が見つけられることは認めなければならない。言葉は必ずしもいつも無欠ではない。猥褻すぎて削除するのが極めて望ましい多くの語と表現が現れる。これらの大部分は、明らかに彼の生きた時代の悪しき趣味を喜ばせるために入れられたし、他はおそらく彼自身の放縦な想像力に起因するだろう。しかし当時の悪しき趣味も、才知の最もきらびやかなほとばしりも、低俗さや猥褻さの弁明にはなりえない。そしてもしこれらを削除することができるなら、詩人の超越的天才は疑いなくもっと明るい光で輝くだろう。シェイクスピアの著作からこの種のものをすべて追放することが本書の目的である。(Thomas Bowdler 1825, p. xvi)

「しかし当時の悪しき趣味も、才知の最もきらびやかなほとばしりも、低俗さや猥褻さの弁明にはなりえない」は「そのまま出す」派の弁護に対する攻撃である。「悪しき趣味」は伝統レトリックの《転送論法》による弁護、「才知の最もきらびやかなほとばしり」は伝統レトリックの《比較論法》による弁護だが、そのいずれもしりぞけている。《ヘッジ》(「必ずしもいつも」、「おそらく」、「起因するだろう」)、「輝くだろう」)、《確実性標識》(「明らかに」、「疑いなく」)、《態度標識》(「認めなければならない」、「極めて望ましい」)などのメタ談話標識を駆使して読者との関係を調整しながら自分の行為を弁護する手際はなかなかのものである。小骨一本残さんぞという根性も見上げたものである——主張内容の是非はともかくとして。

第9章　剽　窃

剽窃（盗作）だという非難はずいぶん昔から文学には浴びせられてきた。したがってそれへの対策もいろいろ出されている。いわく、故意でなく過失でした、目的は手段を正当化します、偶然の一致です、似てません、似てるけど盗んだのではありません、こちらのほうが先に出しました、などなど。

過　失

過失によるとするのは、かつて読んだものの無意識的記憶が自分の発想として浮かんできたという趣旨のものである。たとえばイギリスの詩人メアリー・マチルダ・ベサム（一七七六―一八五二年）は『エレジーとその他の小詩』（一七九七年）の「読者へ」でこう書いている。

模倣であるのにそうだと認めていない箇所が以下の頁に見いだされるとしても、故意の剽窃者だと非難されないことを私は望む。なぜなら、いかに厚かましいと思われているにせよ、不正な者ではないことが私の願いだったから。そして他人の考えの不完全な記憶が私自身の思考として浮かび上がったのではないかと時折恐れている。書いたときには気づかなかったが、似た箇所を〔あとで〕思い出すことができたときはいつも直すか、典拠を明示した。（Betham 1797, pp. ix-x）

まえに読んだ他人の考えをうっかり自分のものと思い込んで使ってしまったというのは、伝統レトリックの《譲歩論法》のうち過失によるとするものである。「望む」はメタ談話標識の《認知動詞》、「思われているにせよ」はポリフォニー標識の《譲歩》である。

同じく無意識の記憶だとしつつ、悪びれずに目的で手段を正当化する人もいる。イギリスの作家チャールズ・スラストン（生没年不明）は『姉妹の悲劇』（一八三四年）の序文で、その作がアルフレッド・テニスンを下敷きにしていることを述べたあと、

筋の制作で生ずるいくつかの箇所と状況は、劇の霊感の主要貯蔵庫から借りたという剽窃の感じを読者に与えるかもしれない。故意にそう借用したのではない。望みに応じてそれらは自分から現れたので、私はそれらがどこから来たのかを立ち止まって調べなかった。それらが私の目的に最も適していたので自分のものにした。そして巨匠のマントの断片や切れはしが私の悲劇の質素な服をともかく美しくするのに役立ったのなら、私は借用していないとは取り繕わず、すすんで認めよう。（Thruston 1834, p. iv）

と、美という目的でコピペという手段を正当化している。「故意にそう借用したのではない」はポリ

フォニー標識の《否定》である。

偶然の一致

偶然の一致という説明の例としてはアイルランドの作家ウィリアム・ヒッキー（一七八七—一八七五年）の『アイルランドの農民』（一八三〇年）の序文を挙げることができる。

しかし以下のいくつかの頁と、最近出版された『アイルランド農民の気質と物語』のある部分の間に顕著な一致（この一致は非常に目立つので、前者の内容はたまたま出版が先だった後者の内容に触発された、というきわめて明らかな結論を導く）があるので、著者は『アイルランドの農民』を完成し、尊敬すべき出版社に売るまでは『アイルランド農民の気質と物語』を見たことがないと述べることが必要だと考えている。……出版社（ウィリアム・カリー社）はこの主張が真実であるのをよく知っているし、明白な証言をする用意ができている。(Hickey 1830, A3r.-v.)

類似していること、相手の出版のほうが先であることは認めつつ、自分は相手の著作を読んでいないと主張することは、結局類似は偶然だと主張していることになる。となると論点はほんとうに相手の著作を読んでいないかどうかになるが、著者はその裏付けとして書肆の証言を提示している。

中には、偶然の一致であることのお墨付きとして、「剽窃」された相手からの許諾を使う猛者もいる。イギリスの小説家ジェームズ・ベーカー（一八四七—一九二〇年）は『西海岸で』（一八八九年）

の出版前の原稿を友人に見せたところ、先行作品に似た箇所があると指摘されたので、その先行作品の著者に自分の「故意でない剽窃」について書き送ったところ、返事が来た。

彼の寛大でやさしい返答で私はすぐに安堵した。彼は「あなたの物語と私の物語の偶然の類似についてて決してお心を悩ませられませんように。こういうことは避けられないことですし、われわれの小さな読書仲間で見つかるよりもはるかに多く起こっていることですから」と書いてくれた。このような寛大な言葉で私は安心し、剽窃された著者によって許された剽窃としてこの物語を世に送り出す。(Baker 1889, p. vi)

「偶然の類似」と相手は書いてくれているとはいえ、「剽窃」であることは認めているようである。「寛大」と「やさしい」というメタ談話標識の《態度的形容詞》が用いられている。

非類似

似ていないという答弁もよくなされる。これは伝統レトリックの《量の問題状況》と考えることができよう。類似が大きいという告発に対して、類似は小さいと反論するからである。量は数字で表されることもあれば、それ以外の仕方で表されることもある。前者の例はフランスの小説家エドモン・アブー（一八二八―八五年）の小説『トッラ』（一八五五年）にある。初版が「剽窃」だと告発されたので、新版の「読者へ」で、「借用」したのは三〇〇頁を超える全体のうちで一五頁ほどだと数字を挙げ、「借用したのは少しだけで、付け加えたものは多い」(About 1859, pp. iv-v) と反撃している。

しかし普通は数字以外の仕方が使われる。この場合、作品のどの部分に注目するかによって類似は大きいとも小さいとも判断される。それを表しているのは、スコットランドの詩人ジョン・フィンレー（一七八二―一八一〇年）である。彼は『ウォレス』（一八〇四年）の序文で、出版前に友人からなされた「ビーティーの『ミンストレル』の構想との間にあまりにも顕著な類似性がある」という指摘に対して、「作品のどの部分」が問題かを考えるべきであり、確かに「筋」には新しさがないが、それは作品の重要な部分ではなく「性格」描写のほうに新味がある、と応えている（Finlay 1804, pp. ix-xii）（ここには《筋》や《性格》など六つの「部分」に悲劇を分けるアリストテレスの『詩学』以来の伝統が生きている）。

もっと手の込んだ仕方で作品を部分に分けることもできる。ドライデンは『一夜の恋、または偽の占星術師』の序文で「私が告発されているもう一つの犯罪がある。……私の劇のすべては盗作だと非難されている」(Dryden 1735, n. p.) と、剽窃という告発を受けていることを明かす。

> ロマンス、小説、外国の劇における或る筋が好きになったら、その土台をとり、その上に建物を建て、イギリスの舞台に合ったものにするのは難しくなかったし、これからも難しくないことは確かです。そして私の手で何も失われなかったと言えばうぬぼれが過ぎるでしょう。しかしわれわれの劇場（フランスやスペインよりも劇詩の装飾すべてが好きです）のためにそれを高くするのはいつも大変な手間がかかるので、私が劇を仕上げると、それはサー・フランシス・ドレイク

〔イギリスの海賊、航海者、海軍提督（一五四三頃―九六年）〕の船のように、奇妙に変更されるので、最初にそれを建造した木材はほとんど残っていません。それを証明するには、この劇だけで十分です。最初それはスペイン語で『偽の占星術師』と呼ばれ、それから弟のほうのコルネイユによってフランス語になり、今や英語に訳されて『偽の占星術師』という名で印刷されています。私がこれで行ったことは、それらと比べてみれば最もよく明らかになるでしょう。面白くないと私が判断したいくつかの冒険をしりぞけたこと、選んだ冒険を高めたこと、フランス語にもスペイン語にもない別の冒険を追加したことはお分かりでしょう。そして『占星術師』の進行の仕方は私の劇ではわずかであることがすぐお分かりになるでしょう。というのも、その話は主要人物であるワイルドブラッドやジャシンタを扱う部分のほうが多いからです。私はまた私が変えようとしたロマンスや劇の機知や言葉をほとんど使わないよう、追加をしました。というのも私自身の創作は既存のものほど鈍いものを何も私に与え得ないからです。(ibid.)

スペインの劇作家ペドロ・カルデロン・デ・ラ・バルカ（一六〇〇―八一年）の『偽の占星術師』（一六三九年）は、フランスの劇作家ピエール・コルネイユの弟のトマ・コルネイユ（一六二五―一七〇九年）によってフランス語で翻案され、さらにドライデンによって英語で翻案された。その翻案のあり方をめぐって剽窃だという告発がなされたことに対するドライデンの答弁である。そのために、土台のみ借り、上の建物は自前であるという建物の比喩が用いられる。建物を構成する部分である「木材」、「冒険」、「進行の仕方」、「機知や言葉」はいずれも土台でなく建物に属するものとされる。

「木材」はほとんど残っておらず、「進行の仕方」は「わずかであ」り、先行作の「機知や言葉」を「ほとんど使わないよう」にしたという主張は、いずれも先人に負う部分が小さいことを強調する《量の問題状況》である。「しかし」はポリフォニー標識の《譲歩》、「残っていません」はポリフォニー標識の《否定》である。

　そしてドライデンは先人から「土台」をとった先例としてウェルギリウスやタッソーなどを挙げたあと、こう述べる。

> しかしウェルギリウスとタッソーの詩の本体は彼ら自身のものでした。そして言葉の装飾と美辞すべてもそうです。（もしこの劇に何か立派なものがあるなら）それにも同じことが言えるでしょう。しかしもっと近くわれわれ自身の国民に行きましょう。たいていのシェイクスピア劇――それらのストーリーのことですが――はチンツィオ〔イタリアの作家（一五〇四―七三年）。本名ジョヴァンニ・バッティスタ・ジラルディ。その『百物語』はシェイクスピアの『オセロ』や『尺には尺を』の原話になった〕の『百物語』に見つかるでしょう。（ibid.）

「本体」は前の引用の「冒険」や「進行の仕方」に、「言葉の装飾と美辞」は「機知や言葉」に対応する。それに対して、先人に負うものとして「ストーリー」という語が登場する。

　しかし、これら小批評家たちは詩人の作品の何たるか、詩の魅力の何たるかをきちんと考えていません。ストーリーはそのいずれにおいても最小の部分です。つまりそれを書く人の技術によって形成される前の、詩の土台のことです。巧みな宝石細工者が宝石を整える以上の配慮でそれを形成する人は、見るべき美しい部分だけを提示します。物語のこの土台の上に登場人物が建てられます。そしてイギリスの舞台の多様性に十分な登場人物を与えうるストーリーはないので、それは変更され、新しい人物、出来事、話で拡大されなければなりません。これによってほとんど新作となるでしょう。これがなされたら、それを幕と場に形成し、すること、されることを適切な場所に配置し、描写、譬喩、言葉の適切さをもって美化することが詩人の中心的仕事です。それが詩人に要求される中心的資質である想像力の最も大きな領域なのですから。(ibid.)

この叙述では、与えられた素材とそれを加工する作業を区別し、後者をさらに《発想》、《配置》、《修辞》、《記憶》、《発表》という五つの過程に分ける伝統レトリックの枠組みが前提されている。すなわち「書く人の技術によって形成される前の、詩の土台」は素材のことであり、「物語のこの土台の上に登場人物が建てられます。そしてイギリスの舞台の多様性に十分な登場人物を与えうるストーリーはないので、それは変更され、新しい人物、出来事、話で拡大されなければなりません。これによってほとんど新作となるでしょう」は《発想》、「それを幕と場に形成し、すること、されることを適切な場所に配置し」は《配置》、「言葉の適切さをもって美化すること」は《修辞》に相当する。そして素材を「ストーリー」と呼ぶことによって、それがせいぜいのところ形成以前のものにすぎず、詩人の仕事の「中心的仕事」、「中心的資質である想像力の最も大きな領域」ではないと言うことによって、先人に負う部分が小さいことを《量の問題状況》において主張している。二つ前の引用の「冒険」が《発想》、「機知や言葉」が《修辞》に、一つ前の引用の「本体」が《発想》、「言葉の装飾と美辞」が《修辞》に相当することも、もう明らかだろう。

単なる類似

類似していることは認めるが、剽窃ではないと主張する立場もある。イギリスの作家エリザ・カーカム・マシューズ（一七七二―一八〇二年）は『コンスタンス』（一七八五年）序文でこう書いている。

著者がどれほど誤っているにせよ、剽窃という不正はないと信じている。接する作品が少数の似た作品に限られているので、独創性だけでなく類似も生まれるかもしれないが、そのたぐいのたくらみはいっさいしていないと誠実に主張できるし、そういう疑念をもつ人びとには、比較マニアは類似を盗みと誤認することが多いという、スペンサーの賢い註釈家の意見を示すだけにしよう。（Mathews 1785, p. x）

「賢い註釈家」とは『神仙女王論』（一七五四年）を書いたイギリスの批評家・詩人トマス・ウォートン（一七二八―九〇年）のことであり（Warton 1754, pp. 180-181）、その権威を引くことによって自説を強化している。

先行

イギリスの小説家アリシア・ムーア（一七九〇―一八七三年）は自分の『ロザリンドとフェリシア』にイギリスの小説家アン・マーシュ＝コールドウェル（一七九一―一八七四年）の『エミリア・ウィンダム』（一八四六年）との類似点が多いため、剽窃の疑いをかけられるのを恐れて、自分のほうが先だと序文で述べている。この序文は一八五四年の再版のものであり、初版は一八二一年なので、確かにムーアのほうが先である。しかし彼女はそのことを述べるだけでは満足せず、コールドウェルにおいて何が起こったのかについての推理を付け加えている。まず無意識の記憶から浮かび上がるのは自分にもよくあることだとして、その可能性を示唆する。しかしそうだと断言はせずにこう続ける。

> この自己正当化的説明の結論として述べるが、ロザリンドとフェリシアの愛着――意図せざる競争心――やその他二つの作の驚くべき一致が先行作〔つまり私の作〕によって『エミリア・ウィンダム』の著者に示唆されたにせよ、そうでないにせよ、出来は劣るがそれらの間に筋、出来事、人物の類似がそれほど多いことに私は喜びを覚えずにはいられない。真に美しく、これほど道徳的教訓に満ちた後続作を〔私の作が〕もし生んだとしたなら、大変な名誉だろう。（Alicia Moore 1854, p. viii）

もし無意識の記憶なら自分の名誉であると仮定法で書くことによって、偶然の一致の可能性も排除せずに、「結論」をぼかしている。

これは出版が先だというシンプルなケースであるが、出版でなく執筆が先だという場合は少し複雑になる。イギリスの俳優・劇作家ジョージ・ベネット（一八〇〇―七九年）の小説『女帝』（一八三五年）の序文を例に引こう。

本書を出版するにあたり、原稿は不可避の状況によって一二ヵ月以上出版者の手元にあったことを述べる必要があると著者は考えている。一八三四年一〇月に出版されたブルワー氏の見事な『ポンペイ』から剽窃の罪を犯したと読者がもしかすると考えることは、この陳述によって防げるだろう。著者がこの状況を述べるのは、以下の理由による――小説を書き、その舞台が同じ国の、したがって法律、宗教、スポーツ、娯楽について同じ国民的見解を持つ人物でいっぱいの二つの小説を二人の人が書くとすれば、読者は多くの場合、類似を見いだすに違いないが、しかし、闘技場での娯楽などは『女帝』でも『ポンペイ』でも描かれているけれども、主要人物の状況は大いに異なっているので、以下の頁を読むとき、読者は二度語られた物語に無駄な時間を費やしたとは考えないと著者は信じている。(Bennett 1835, pp. iii-iv)

この書の出版は一八三五年六月だが、原稿は一二ヵ月以上前に出版者に渡していたので、一八三四年一〇月出版の『ポンペイ最後の日』よりも早いという論拠で剽窃を否定している。また、内容の相違も補強証拠として提示している。

先であることの証人として出版者でなく友人を呼び出す人もいる。一八一六年に出版されたコールリッジの『クリスタベル』の序文にはこう書かれている。

> 以下の詩の第一部は一七九七年にサマセットの田舎ストーウェイで書かれた。第二部は、ドイツから帰国した後、一八〇〇年にカンバーランドのケズィックで書かれた。もしそれより前の時期に完成されるか、あるいはもし第一部と第二部が一八〇〇年に公刊されていたら、そのオリジナリティーの印象は私が今あえて期待するよりも大きくなっていただろう。しかしこれについては、私は自分の不精を責めるだけである。剽窃ないし奴隷的模倣という告発を私自身から引き離すために時期に言及している。というのも、すべての可能な思想とイメージは引き渡しという形でしか一致しないと考えるように見える批評家の一味がいるからである。彼らは小さいにせよ大きいにせよ泉のようなものが世界にあるとは考えず、流れているのを自分が見るすべての小川を、慈悲深くも誰かほかの人のタンクにできた穴に由来させようとする。しかし目下の詩に関する限り、特定の箇所であれ、全体の調子や精神においてであれ、その著作から私が模倣したと疑われている著名な詩人たちが真っ先に私を告発から弁護してくれると信じている。そして目立つ一致のいずれに関しても、修道士らしい二つのラテン六脚韻で彼らに呼びかけるのを彼らは許してくれるだろう。
>
> それは私のものでもあるし、あなたのものでもある。

しかし、もしそれでは済まないなら、
親友よ、私のものだということにしてくれたまえ。
二人のうち私のほうが貧乏なのだから。（Coleridge 1853, p. 249）

全体の構造をつかむには、二つの「しかし」に注目するのがよい。第一の「しかし」はポリフォニー標識として、もっと早く公表していればオリジナルと認められていただろうという他者の声と、それについての謝罪をする自分の声を響かせている。第二の「しかし」も、やはりポリフォニー標識として、「一致」を説明するために「泉」と「タンク」という異なる液体メタファーをそれぞれ持ち出す二つの声を響かせている。

この序文のレトリックの基本構造は以上だが、内容をよりよく理解するために、『クリスタベル』についてのいくつかの証言を聞いてみよう。まずコールリッジ自身の証言が『文学的自叙伝』（一八一七年）にある。

『クリスタベル』の創作と出版の間の多年にわたって、それは一般に売りに出されたかのように、文学者たちの間でよく知られるようになった。詩の中の想像上の人物の名前に至るまで、同じように言及され、同じように自由に書き換えられた。……毎年毎年、しかも最も異なる種類の集まりで、それを朗読するよう私は要請された。（Coleridge 1834, pp. 344-345）

コールリッジは『クリスタベル』を出版する前に多くの人に朗読したので、いわば共有財になっていたと述べている。これを合わせ考えるなら、「泉」の比喩で特徴づけられる「一致」とは、特定の人ではなく、共通の源から汲んだことによるものとなる。それに対して「タンク」の比喩は、源が特定の個人であるという事態、つまり普通に引用とか借用とか剽窃と言われる場合を表す。

次に、自分を弁護してくれるとコールリッジが書いている「著名な詩人たち」に証言台に立ってもらおう。最初の証人はイギリスのジョージ・ゴードン・バイロン（一七八八―一八二四年）である。

> 私はここでコールリッジ氏の『クリスタベル』という未公刊の詩の一節とこの一二行の故意ではないけれども強い類似を認めなければならない。これらの詩〔自分の作〕を書き終えるまで、あの並外れた、特別に独創的で美しい詩が朗読されるのを私は聞いたことがなかった。そしてその所産の手稿をコールリッジ氏自身の好意によって私が見たのはごく最近のことである。私が故意の剽窃家でないことを彼には信じてほしい。もともとの構想は確かにコールリッジ氏のものであり、彼の詩は一四年前に書かれていた。(Byron 1836, p. 293)

共通の泉の主な水源がコールリッジであることを傍線部で認めている。また、自作がコールリッジの作と似ているのは「意図的」ではないと主張している。

二人目の証人はイギリスの詩人・小説家ウォルター・スコット（一七七一―一八三二年）である。

そしてコールリッジ氏のような異常な才能を持つ人を非難する不適切な自由を私が手にしたとすれば、それは彼がまるで単なる気まぐれからあの詩の未完成のかけらを放出し、古代のトルソのように、それを完成してみろと同僚の詩人たちの技術に挑戦した気まぐれと怠惰のせいであろう。著者が運命にゆだねた魅力的な断片は、確かに不注意な彫刻家の試し彫りのように扱うには貴重すぎる。しばしばその彫刻家の工房のゴミは、どこかの勤勉な収集家の財産にはなるけれども。(Walter Scott 1884, p. 18)

バイロンと同様、スコットも水源がコールリッジであることを認めているが、バイロンと異なり、所有権が放棄されているように見える〈フリー素材〉を他の人が拾うのは無理からぬことだとし、出版して所有権を主張しなかったコールリッジの「怠惰」を責めている。これは出版の遅れについてのコールリッジ自身の謝罪と符合する。

剽窃だという告発者の言い分を聞かない限り、〈他方の側も聞かれるべし〉という格率に照らせば公平な判断はできないが、少なくとも共有財だったというコールリッジの言い分には、二人の証言からして或る程度の信憑性を認めてもよいのかもしれない。

最後に「修道士らしい二つのラテン六脚韻」についても説明がいるだろう。泉は共有財だから、誰か一人のものではないことを認めたうえで、共通の泉から汲んだ一方は経済的に利益を得たのだから、それを得ていない私のほうにはせめて所有権を認めてくれということを、清貧をむねとする修道士に自分を喩えることでアピールしていると言えよう。

古典の翻訳

多少特殊で微妙な問題を提起するのは、古典テクストの翻訳を使用する場合である。スコットランド生まれでフランスで活動した作家アンドルー・マイケル・ラムゼイ（一六八六―一七四三年）は、『キュロスの旅』（一七二七年）初版に浴びせられたさまざまな攻撃に対して、のちの版の序文で一つ一つ答えている。その最初に挙げられるのは、剽窃であるという攻撃である。

> 著者は剽窃者であり、いくつかの箇所ではモーの司教〔ジャック＝ベニーニュ・ボシュエ〕の『世界史』……から頁をまるごと書き写している、という異議が申し立てられた。(Ramsay 1763, p. viii)

これに対して著者は次のように反撃する。

> 古代エジプトを扱う第三巻……のいくつかの箇所で、……確かに著者はあの司教によるディオドロス・シクロス、ヘロドトス、ストラボンのいくつかの箇所の翻訳にしたがった。しかし古代人からの引用で、悪い翻訳よりも良い翻訳にしたがうことにしたからといって、剽窃者になるのだろうか。(ibid., p. ix)

言語戦術としては、「しかし」というポリフォニー標識による《譲歩》、「なるのだろうか」というメタ談話標識による《設問法》が使われている。内容的には、古典テクストの翻訳の場合は剽窃にならないと主張している。実際、問題の第三巻を見ると、ある部分が古典テクストに準拠しているか否か、準拠しているとすれば原著者は誰か、また他人の翻訳を使ったのならその翻訳者は誰かは明示されていない。したがって、今日では他人の翻訳を引用する場合、引用であることとその典拠の明示の二つは不可欠であるが、当時は少なくともこの例で見る限り、古典の翻訳の引用はこの二つなしでも剽窃ではないという考え方があったことが分かる。

複数の説明

ここまでは単独の説明による答弁を見てきたが、いくつかの説明をあわせ用いる場合もある。たとえばウォルター・スコットの『ウェイヴァリー』（一八一四年）の「序文になるはずだったあとがき」には、類似は小さいという主張に加えて、自分のほうが先だという主張も見られる。

> しかし目的を遂行するやり方に私は自信がなかった。実際、私は自分の作品に満足しなかったので、未完成のまま放置しておいた。しまい忘れて数年後、釣り道具を友人に貸すために古い戸棚の引き出しをさがしまわっていたところ、ようやくその紙屑の中に偶然その作品を見つけた。その国にとって極めて名誉となる才能を持つ女性作家による、似た主題の二つの作品がその間に現れた。それはハミルトン夫人の『グレンバーニー』[1]と〔アン・グラントの〕ハイランドの迷信に

ついての最近の説明である。[2] しかし前者はスコットランドの田舎の風習――それを印象的な正確さで描いているが――に限られているし、尊敬すべき独創的なラガンのグラント夫人の伝統的記録は、私がここで試みたような虚構の物語とは異なる性格のものである。(Walter Scott 1839, p. 435)

先ほど取り上げたコールリッジの場合と異なり、スコットは剽窃という告発は受けていないが、他人の作品を模倣したのではないかという嫌疑を受けることを予感し、先手を打って類似性の小ささと自分のプライオリティー（先であること）を主張している。類似性はともかく、プライオリティーについては、いくら執筆時期が早くても、公刊せず戸棚にしまったままでしたというのでは、信用できる第三者の証言でもない限り、子供の言い訳レベルである。しかし満足できない作品の公表を差し控えた《謙譲》にだけは同情の余地があるかもしれない。

スコットは二つの説明を提示したが、三つ出している人もいる。イギリスの詩人メアリー・リーパー（一七二二―四六年）『折々の詩』第二巻（一七五一年）の巻頭に置かれた「書簡」で著者の友人フリーマントルはこう書いている。

彼女の詩集の公刊以来、彼女は他の著者たちから盗んだという告発を私は聞いたことがある。しかしきわめて不当であると私は信じ、非難は何か正当な根拠からよりも、そうに違いないといういわれなき憶測から生じていると私は想像する。(Leapor 1751, p. xxiii)

告発が不当であることをまず主張している。「不当である」、「いわれなき」はメタ談話標識の《態度的形容詞》、「信じ」、「想像する」はメタ談話標識の《認知動詞》、「よりも」はポリフォニー標識の《比較》である。

> 具体的な類似が指摘されているのを私は見たことがない。(ibid.)

そもそもどことどこが似ていると具体的に指摘しない限り、類似性に基づく告発は漠然とした印象論にとどまるといって、相手側の主張の説得力を奪っている。「ない」はポリフォニー標識の《否定》である。

> そしてもし他の著者によって書かれたものとの間にそういう憶測の余地を残すほど似ている詩行が彼女の書物に実際にあるとするなら、彼女の思考方式を熟知している私は彼女のためにあえてこう断言する。すなわちそれは以前にそれらの箇所を読んだ時たまたま著者の心に刻まれた記憶から生じたのであり、著者はそれがどこから来たかを記憶していなかった、と。(ibid., pp. xxiii-xxiv)

ベサムが用いているのをすでに見た無意識の記憶による弁明が続く。盗みの意図はなかった、故意ではないというのは、伝統レトリックの《譲歩論法》である。ただし、類似を認めているわけではなく、〈もし似た点があったとしても〉という条件付きでの譲歩である。「断言する」はメタ談話標識の《発語内行為標識》である。

三つ目の弁明は偶然の一致というものである。

> また、一つの主題について二人の人がそっくりのことを考えること、それどころか、たとえ互いの考えを知らなかったとしても一行か二行ほとんど同じ言葉で自分の考えを表現することすらありえないとは私は思わない。もっとも、ミュラがそれかどうかはわからないけれども。(ibid., p. xxiv)

「思わない」はメタ談話標識の《認知動詞》である。なお「ミュラ」はこの詩集に収められた一篇のタイトルである。

より強烈な《対抗非難》

ここまでの防御は、いささか腰が引けたものだったが、剽窃を告発された側が強気にでる場合もある。その主要な武器は伝統レトリックが提供する《対抗非難》である。ドライデンに例がある。ことの起こりはイギリスの詩人・劇作家のエルカーナー・セトル（一六四八—一七二四年）が『モロッコの女王』（一六七三年）の献辞でドライデンを含む他の劇作家を攻撃したことだった。これに対してドライデンらは『モロッコの女王についての覚え書きと批評』（一六七四年）でこうやり返す。

> 彼〔セトル〕が同時代人から盗むことはみな知っている。しかし子供を醜くすることで自分のものにするために、下手な英語とだめな転用で自分の盗みを覆い隠すことによって、所有権を変更してしまう。（Dryden, Shadwell, and Crown 1674, n. p.）

訴因は異なるが、非難に非難をもってこたえているので《対抗非難》である。

すると今度はイギリスの批評家ジェラード・ラングベーン（一六五六―九二年）が劇のカタログ『勝利のモーマス、またはイギリスの舞台の剽窃者ども』（一六八七年）の序文で〈お前が言うか〉と乱入する。

> しかし自分自身が書くほとんどすべての劇で同じことをしているのに、（『モロッコの女王についての覚え書きと批評』でセトルを非難したように）登場人物を自分から盗んだとして他の人びとを非難した点でドライデンを非難せざるをえない。（Langbaine 1688, n. p.）

自分で剽窃をしているのに、他の人の剽窃を責めているというラングベーンのドライデン攻撃は、双方の訴因が剽窃という同じものなので《投げ返し》である。

第10章　背徳と反体制

背徳的であるという攻撃に対抗する議論には、作品自体の性質に基づくもの、作品と作者・読者の関係に基づくもの、著者と語り手の距離づけに基づくものがある。

作品自体の性質に基づく議論

作品自体の性質に基づく議論の例としてイギリスの著作家ウィリアム・クーム（一七四二―一八二三年）の『ヨリックとエリザが書いたと推定される手紙』（一七七九年）を見よう。これは配偶者以外の相手と愛の手紙をやりとりするという設定だが、その「著者から読者への呼びかけ」で著者は、こんな不義の手紙を出版するのはけしからんという読者の反感を先取りする。

そして思うにあなた方は徳もあり、お行儀もよいので、これらの手紙を書いたのが既婚者であるという考え自体にすらご立腹されるであろうことは考えられないことではありません。というのも、最も厳粛な貞節の契りが与えた愛情を他の人に移し、やはり不正な同質の見返りを求めるとき、結婚ゆえにしたがうべき要求からすれば、大きな罪を犯しているからです。(Combe 1780, p.

x）

これに対して著者は反撃する。

私は結婚生活の貞節、純潔、喜びを高く評価していますから、真摯で相互の愛情がある場合には、この世の天国だと思っています。そして、書いた関係者たちに結婚による幸福が大きく欠けていることを、私の推定したような手紙が示していることも、同じくらい確かだと思います。しかしこれらの手紙は、その想像上の著者の性格という観点からは不適合な熱で燃え上がっているように見えるときもありますが、感情との不適合は少しも含まないと私は確信しています。

(ibid., pp. xi-xii)

結婚の幸福の描写を求める読者の道徳的価値観に一定の配慮を示しつつ、しかし不義の描写にも見るべき点があることを、《譲歩》のポリフォニー標識である「しかし」で表現している。そしてその「しかし」で始まる文自体が、もう一つの《譲歩》を含んでいる。それは、短所もあるけれども長所もあるという、伝統レトリックの《比較論法》の形をとっている。その長所と短所を記述するために、「性格」や「感情」に言葉が「適合」していることという、アリストテレス以来文芸批評の道具となってきた概念が用いられている。つまり不義の手紙は、既婚者であるという人物の「性格」には適合していないが、その恋情を正しく表現している点で「感情」との適合性は持っている。そしてこの感情がプラスの価値を持つことは、次の箇所で示される。

しかしあなた方がそれでもなおヨリックとエリザの考え方にご立腹なされるのでしたら、推定された状況と性格ともどもも名を変えて、感情だけをそのままにしてください。そうすれば、以下の頁に、運命にもかかわらず愛し合う二つの純粋で誠実な魂がささやきあうことだけをあなた方は見いだすと私は確信しています。(ibid., p. xii)

既婚者という「性格」をはずして読めば、「感情」は「純粋で誠実な魂」の中核としてその輝きを際立たせる、というわけである。したがって表現対象自体の点でも作品はプラスの価値をもっている。

同じく作品自体の性質に基づく議論ではあるが、表現対象のプラスの価値ではなく、「悪」という、それ自体はマイナスの価値をもつ表現対象が文学作品で表現されるとプラスの価値に反転するという趣旨の議論もある。その例は、フランスの作家ギュスターヴ・フローベール（一八二一―八〇年）の『ボヴァリー夫人』（一八五七年）を攻撃から守るエリノア・マルクス・エイヴリング（一八五五―九八年）に見られる。カール・マルクスの末娘である彼女は、背徳という罪状で裁判沙汰になったことで有名な『ボヴァリー夫人』の出版から三〇年ほどのちに、その英訳（一八八六年）を出した。それに付けたかなり長い序文から、彼女がどんな声に抗してどんな声を上げているかを示す箇所をピックアップして、ポリフォニー標識を手掛かりに分析したい。

> フローベールの登場人物の悲劇は、シェイクスピアについてヘーゲルが言ったの[1]と同じく、そうせざるを得なかったからそのような行為をしたという事実に存する。そういう行為をすることは不道徳だろうし、登場人物自身の個人的利益にすら反しているだろう。しかしそうせざるを得なかった――それは不可避だった。ゲルヴィーヌス[2]のような俗物は、もしデズデモナがヴェニスにとどまっていたなら、キプロスで絞め殺されなかっただろうと指摘するだろう。しかしそれではデズデモナでなくなっていただろう。そしてもしエマ・ボヴァリーがすべての悪事を慎んでいたなら、その後幸せに暮らしただろうが、しかしエマではなくなっていただろう。(Flaubert 1892, p. xvi)

「しかし」(二箇所)と「もし……なら」は、それぞれ《譲歩》と《条件文》というポリフォニー標識だが、貞節な女性を描けと言う他者の声に抗して、確かにエマが不倫しなければめでたしめでたしでしょうが、そんなもの誰も読みませんよ、という自分の声を響かせている。

作品と作者・読者の関係に基づく議論

以上は作品自体の性質に基づく議論である。次に作品と作者・読者関係に基づく議論を見よう。これには作品世界と読者の距離に注目するものと、作品世界と作者の距離に注目するものがある。前者の例としては、先ほど引用したエイヴリングの箇所に続く部分がある。

安っぽい道徳化も、うわべだけの感情もない。そしてこの著作は本質的に道徳的で健全である。われわれは悪を見せられたけれども、それに染まらなかった。悪徳と快適に戯れることも、悪に手を出すこともない。すべてが厳格で厳粛で実直である。フローベールは悪い味を口に残さない。（Flaubert 1892, p. xvii）

「けれども」は《譲歩》、「なかった」と「ない」は《否定》、いずれもポリフォニー標識である。読者を悪に染めるという他者の声に抗して、本の内容から読者は距離をとれるという、第7章にも出てきたモチーフを響かせている。

作品と作者の距離に注目する議論の例は、ルネッサンスの詩人リチャード・バーンフィールド（一五七四―一六二〇年）にある。『シンシア』（一五九五年）の「礼儀正しい読者へ」で、前作『恋する羊飼い』（一五九四年）で少年愛を描いたために浴びせられた非難に対して彼はこう応えている。

その主題、つまり少年に対する羊飼いの愛に言及して『恋する羊飼い』を私の（本当の）意図とは違ったふうに解釈した人もいた。この過ちを私は弁明するつもりはない。なぜなら私はそれを決して犯してはいないからである。（Barnfield 1595, pp. 3-4）

アンドレ・ジッドのように一人称で書いているわけではないが、それでも作中人物が同性愛者であるから作者も同性愛を是認ないし実行する者だという非難があった（と作者は思った）。これに対して作者は作品世界から距離をとっていると反撃している。「弁明する」はメタ談話標識の《発語内行為標識》、「犯してはいない」はポリフォニー標識の《否定》である。

フランスの小説家エミール・ゾラ（一八四〇―一九〇二年）も『テレーズ・ラカン』（一八六七年）第二版序文で同種の議論を用いている。この小説の初版にはさまざまな酷評が寄せられた。そのうちの背徳的であるという非難にゾラは第二版序文でこうこたえている。

> 背徳という非難は、学問的問題においては、絶対的に何も証明しない。私の小説が背徳的であるかどうか私にはわからない。それを多少なりとも貞節にすることを気にかけたことは一度もなかったと告白する。私にわかるのは、その道徳的な人びとがそこに見いだした卑劣なことを入れることは一瞬たりとも考えなかったということだ。各々の頁を、最も情熱的な頁ですら、学問的興味だけをもって書いたということだ。（Zola, pp. 9-10）

科学的・医学的なアプローチであるという盾で、背徳的という矛に立ち向かっている。三度現れるポリフォニー標識の《否定》に注目すべきである。

著者と語り手の距離づけによる議論

つぎに反体制的であるという攻撃に対する防御を見よう。背徳という非難に対する防御として著者と登場人物の距離に基づく議論はすでに見たが、フランスの詩人シャルル・ボードレール（一八二一―六七年）は『悪の華』（一八五七年）「聖ペテロの否認」の「前置きの註」で、その著が反体制的であるという攻撃に対して、著者と語り手の距離に基づく議論を使っている。

以下の作品のうち、最も特徴のあるものはすでにパリの主要な作品集に現れていた。そこでは少なくとも物のわかった人びとにはそれが実際にそうであるもの、すなわち無知と狂気の推論のパスティッシュと見なされた。(Baudelaire 1857, p. 215)

「聖ペテロの否認」はパスティッシュ（作風模写）であると言うことによって、作者と語り手の距離づけをはかっている。

あの率直な宣言は、ご立派な批評家たちが著者を下層民の神学者に分類し、救世主イエス・キリストが、永遠の自発的な犠牲者が、征服者の役を、平等主義的で破壊的なアッティラの役を演じなかったことを残念に思ったとして著者を非難するのを防ぐことはおそらくできないだろう。「私をあの悪名高い詩人のようにさせてくれなかった神に感謝します！」とパリサイ人の天への感謝の言葉を述べる人がおそらくいるでしょう。(ibid.)

「あの率直な宣言」とは「聖ペテロの否認」の最後の行にある「聖ペテロはイエスを知らないと言っ

た……よくやった！」を指す。そこに至る箇所では、神は横暴なもの、キリストはその犠牲者として描かれていた。これを「ご立派な批評家たち」は、第二帝政という政治状況からして、体制とその犠牲者を指すものであり、最後にあるペテロの否認を、抑圧されても革命を目指さない者に対する批判と解釈する――そうボードレールは予想した。そこで検閲の危険を感じたボードレールは慎重に避雷針を立てる。その基本的戦略は、詩の内容についての責任を回避するために、今の発話の主体である詩の語り手に対して、パスティッシュの書き手としての自分は距離をとっていると述べることである。ここで関与的なのは言語行為という理論枠である。それで見た場合、革命を鼓舞していると読むのは読者のほうが悪いのであって、正しく認識すればこの詩は悪くない、とする《説明》にあたる。

逆の弁明

　ボードレールのものは反体制的であるという攻撃に対抗していたが、十分に反体制的ではないという逆の非難にこたえる場合もある。中国の婦人運動家である許広平（一八九八―一九六八年）の『暗い夜の記録』は中国語の原著の翻訳だが、翻訳出版時には体制と反体制が原著出版時から反転していて、序文にあたる「日本語版に寄せて」でそれに対応している。

　　ところで、けっきょくは当時の支配者にたいする抗議でありますから、出版を可能にするためには、どうしても表現を多少あいまいにせざるをえませんでした。……そんなわけで、この本には、きわめて簡単にしか書かなかったところ、思っていることを言いつくさなかったところが、

かなりあって、自分としてもはなはだ不満にかんじているのです。（許　一九五五、i—ii頁）

原著が出たのは一九四七年なので、「当時の支配者」というのは国民党政府を指す。ところが日本語訳が出た一九五五年には共産党政権になっていたので、国民党に対する批判が原著ではなまぬるいことについてひとこと述べる必要が生じている。原著出版時の状況からすればそうせざるをえなかったという意味で、言語行為としては《弁明》である。

第11章　性別や人種に関する規範に違反

この章では差別に言及する序文の戦略を見る。取り上げるのは性差別と人種差別である。女性や特定の人種には執筆や出版の資格がないという性差別、人種差別がかつては支配的だった。性差別について言えば、女性は家事育児に専念し、寡黙、沈黙の美徳を守るべきだとする〈女らしさ〉の規範があり、ものを書き、出版するという行いはそれに対する違反とみなされ、条件が課されたり、抑圧されたりした。そういう状況下で女性の書いたものを出版する者が、この規範に基づく攻撃に対して防衛する必要を感じたのも当然である。そこで各々の序文から、女性の執筆、公刊に対するどんな攻撃を著者が念頭に置き、それにどう反応しているのかを読みとっていきたい。

女性の執筆・出版に課せられる条件には、主題に関するもの、読者層に関するもの、分量に関するものなどがある。

主題に関する条件

主題に関する条件としては、政治に関することはダメというものや、恋愛しかダメというものがある。

政治に関して書いてはならないという非難に対する反撃の例としては、アイルランドの小説家シドニー・オーウェンソン（一七八一頃―一八五九年）の『オブライエン家とオフラハーティ家』（一八二七年）の序文がある。

他の似た状況と同様、本書でも「政治に容喙する」という女らしくない厚かましさで告発されることを私は予期している。しかし我が国のこれほど多くの女性が、もっと重大な問題に「容喙」している。宣教師の令嬢や改宗させる貴婦人たちが「人の子らのあいだで神の代わりをつとめる」ふりをしているのに、単に人間的な共感の影響のもとに人間の悪に関わることが私には許されないのだろうか。（Owenson 1827, p. vi）

慎み深さがとりわけ女性に求められる美徳であるとする立場の人びとは、政治への介入を「厚かましさ」と非難する。これに対してオーウェンソンは〈天上のことに関わっている女性すらいる、まして地上のことに女性が関わっていけないことがあろうか〉という伝統レトリックの《対比暗示推論法》でこたえている。「しかし」はポリフォニー標識の《譲歩》、「許されないのだろうか」はメタ談話標識の《設問法》、「人の子らのあいだで神の代わりをつとめる」は『ユディト記』八・一二からの引用である。

政治に関する女性の発言禁止に対して、シャーロット・スミスは『デズモンド』序文で別の観点から抗弁している。出版するにあたって不安なことがあると彼女はまず述べる。

その不安は、書簡では物語ほどには成功しないのではないかという不安から、そして虚構の出来事やそれらの中の政治的意見を不快に思う読者がいるのではないかという疑惑から生じる。(Smith 1792, p. i)

不安点が三つ挙げられている。書簡体小説であることについての不安、フィクションであることの懸念、そして女性著者が政治的見解を表明したことに関する不安である。三つのうち、初めの二つは文学に内在的な問題で、性別には特に関係しない。したがって最後の政治的見解の表明という攻撃に対する対応を以下に見る。論点は二つある。政治的見解の表明の是非と、女性がそれをすることの是非である。第一点から見よう。

作品にちりばめられた政治的口論については、この一二ヵ月にイギリスとフランスで耳にした会話から大部分が引かれている。私の物語をこれらの国に、しかも政治状況が日常会話の話題である（特にフランスの）時代に設定したとき、私はそこで聞いた双方の議論を架空の登場人物に与えた。そして一方の派に好意的な議論のほうが優勢だとすれば、それは私の一方的な描写によるのではなく、真理と理性の卓越した力によるのであり、それは変えることも隠すこともできないのである。(ibid., pp. ii-iii)

「双方」のうち著者が肩入れしているのは、出版の少し前に起こったフランス革命の思想である。「イギリスとフランスで耳にした会話」は《言説帰属者》というメタ談話標識、革命思想の文責は著者ではなく、他の人びと、否「真理と理性」にあるという主張は、伝統レトリックの《転送論法》である。

次に女性が政治的見解を表明することに対する非難の口実として挙げられる、女性における政治的知識の欠如についてはこう書いている。

> 何か知識を持っていると、男性の知識をまねているといって非難される。知識を持っていないと、何の価値もないものとしてさげすまれる。
>
> 最も平凡でつまらない主題以外について女性が語ったり書いたりできる知識は、獲得が難しいので、家事に関わる美徳を犠牲にしたり、家事の義務をないがしろにしたりしてしか獲得できないと考えられている。――しかし私が著者になったのは、義務の不履行ではなく順守にあたる。そして私が書かざるを得なくなった状況によって、そうでなければ決して見なかったであろう出来事や多様な人物に私は出会った。なんたることか。私が直接見て書けるようになったのは、そこからなのだ。
>
> 尊大な男の傲慢さ、圧迫者どもの横暴、裁判の遅れ、こっぱ役人どもの横柄さ〔シェイクスピア『ハムレット』第三幕第一場七一―七三行〕(ibid., pp. iv-v)

「書かざるを得なくなった状況」とは、子供の養育費を稼がなければならなかったことを指す。そういう家族の窮状を逃れるために法的保護を求めたが、うまくいかなかった。しかしその過程で法律や役所といやでも関わらざるを得なかったので、小説の材料はそこから得た。したがって小説は家事をしっかり遂行するという自分の義務を果たしたことの証拠である――そう著者は主張する。その間の事情が理解されれば、執筆行為は悪くないと判断されるだろうという、言語行為としての《説明》である。

女性は恋愛についてだけ執筆してよいという条件がつくこともある。皮肉まじりにこれに言及しているのが、サラ・ファイグ・エガートンの『折々の詩』の献辞である。

> また、われわれ女性は極めて狭い範囲の活動に制限され、もっと重要なものごとはわれわれの知るところとならないので、恋愛が女性の筆に合った唯一のテーマ――そんなものがありうるとしてだが――であるように思われる。(Egerton 1706, A3r.)

挿入句の「そんなものがありうるとしてだが」は、「恋愛が女性の筆に合った唯一のテーマ」であるという他者の声に対して、ポリフォニー標識の《アイロニー》として機能している。

読者層に関する条件

読者層についての条件もある。イギリスの詩人メアリー・チャドリー（一六五六―一七一〇年）は『諸主題についての試論集』（一七一〇年）の「読者へ」でこう書いている。

私が本書を提供しようと思っているのは、女性に対してだけである。私の書くなにかが男性の注目に値すると思うほど私はうぬぼれていない。けれども、もしかすると本書のような考察をする機会のある女性がいるかもしれない。そういう女性にとっては本書は有益であろう。それは精神を陶冶し、理性を啓蒙、洗練し、その命令にすべての情念を従わせるよう彼女たちを促すことになろう。（Chudleigh 1710, A4r.）

男性の読書時間を奪おうなどという不埒なまねはしないという低姿勢は、ポライトネスの《謙譲》にあたる。「うぬぼれていない」はポリフォニー標識の《否定》、「けれども」はポリフォニー標識の《譲歩》、「もしかすると」、「かもしれない」、「であろう」はメタ談話標識の《ヘッジ》であり、全体に用心深い物言いであるという印象を与えている。

読者層として子供だけが許されるという条件が存在したことを、アイルランドの詩人メアリー・バーバー（一六八五頃―一七五五年頃）の『折々の詩』（一七三四年）の序文の次の言葉は物語っている。

女性が大胆にも出版のために書くことは、女性の分限を逸脱することに私は気づいている。したがって私の詩は詩を試みた他の人びとが抱いたのとは全く異なる目的で書かれたことを私の読者に知らせることが必要だと思う。私の目的は主に私の子供たちの心を形づくることなので、詩で伝えられた規則は覚えやすいだろうし、学校でそれを繰り返す義務を課すことによって、心にしっかり植え付けることだけでなく、適切で優雅な語り方を早期に与えることに大いに寄与するだろうと思った。(Barber 1735, pp. xvii-xviii)

女性の出版は一般に分限逸脱であるが、自分の書は、その教育的意義ゆえに規範の対象外である子供向けの読本だと彼女は主張する。チャドリーと合わせ考えると、女性や子供向けの書物を女性が書くことには比較的風当たりが弱かったことがわかる。なお、「思う」はメタ談話標識の《認知動詞》、二つの「だろう」はメタ談話標識の《ヘッジ》、「思った」はメタ談話標識の《認知動詞》である。

分量に関する条件

分量に関する条件に対しては、サラ・ファイグ・エガートンが『女性弁護士』(一六八六年)の「読者へ」で〈口数が少ないことが女性の美徳だから、この書の分量も少なくする〉という仕方で対応している。

多くの書が序文なしで出版される唯一のわけは、その小ささである。なぜそうなのか読者に知ってほしいので言うが、われわれ女性の大きな美徳は、多くを知って少なく語ることである。だから、叱責する批評家たちが私のペンで私の舌を測り、私の詩の長さで私をおしゃべりだと非難しないように、意図した長さに制限を設けるべきだと、知的な慎み深さは私の心に告げる。卓越した主題は私（あるいは私と同じ状況にある人）以外のどのペンにも拡張を要求する（否、命令する）ことを私は認めるが、しかし小さな試みをまず送り出し、批評家の無慈悲な大海をどう渡るか、そしてどんな反響があるかを見てから、次の冒険をするのが、不慣れな初心者にとっては好ましい質素さだと思う。（Egerton 1686, A2r.）

「女性の大きな美徳」という語句は、慎み深さという女性の美徳のうちでも、寡黙がその「大きな」部分であることを示している。「読者に知ってほしいので言うが」はメタ談話標識の《読者への呼びかけ》、「しかし」はポリフォニー標識の《譲歩》、「不慣れな初心者」はポライトネスの一種である《謙譲》である。

抑圧

次に、条件うんぬんでなく、そもそも執筆一般が抑圧されるときであるが、抑圧される理由に序文が言及する場合と、しない場合がある。言及しない例としては、アメリカの作家カロライン・マチルダ・ウォーレン（一七八五頃―一八四四年）の『ばくち打ち』（一八〇五年）序文がある。

ひどい判決を下して難癖をつける酷評家は、「女性の筆から生まれた一切のもの」を偏見ある目で見るから、著者は何も求めることはない。本当に学識があり有徳な人は作品の出来は非難せざるを得ないけれども、意図だけは是認してくれるだろうと固く信じているから。(Warren 1828, p. iv)

女性の作だということだけで、頭からダメだと決めつける態度は「偏見」であるから相手にしないというのは、伝統レトリックの《論議拒絶》である。「信じている」はメタ談話標識の《認知動詞》である。

クララ・リーヴの『折々の創作詩』(一七六九年)の「読者へ」も、抑圧理由は挙げず、そういう事実があったとだけ述べる。

女性であることは越えがたい欠点であり、女性が文学的価値を要求することに対して一般の人びとは偏見を持っていると以前は思っていた。……しかし多くの女性著者が好意的に受け入れられ、著者の地位を認められ、大衆によって十分報酬を得ているのを私は見ている。私は同じ有利な立場に立候補するよう、これらの成功に勇気づけられた。以上のことがこの企てに対する一般的弁明として役立つことを私は望んでいる。(Reeve 1769, p. xi)

ここでは女性の著作に対する不利な環境が次第に改善されてきた証拠として女性著者の成功が挙げられている。言語行為としては、他にも同じことをやっている人がいるので私も出版するという《正当化》である。「思っていた」と「見ている」はメタ談話標識の《認知動詞》、「望んでいる」は《発語内行為標識》である。

こうして見ると、序文で抑圧理由に言及しないのは、その必要がないからであることがわかる。ウォーレンの場合は、そもそも相手にしないので、いちいち相手側の述べたてる理由を取り上げる義理もないし、リーヴの場合は、すでに過去のものなので、ことさら相手側の理由を挙げて論駁するには及ばないというわけである。

これに対し、序文が抑圧理由を挙げるのは、相手にきちんと応答する必要があるからであることが以下に挙げる例からわかる。言及される抑圧理由には、著者に帰せられるものと、著作自体に帰せられるものがある。このうち著者に帰せられる理由には、知識一般の欠如や言語運用能力の欠如がある。

知識の欠如という理由に対して積極的に反撃を試みるために、かなりぶっ飛んだ（ように見える）論理を使っているのは、『王侯のふるまいと騎士道の鏡』の「読者へ」におけるマーガレット・タイラーである。

しかし、われわれの主題に戻るなら、男性が知識の唯一の所有者であるという口実で女性は学問についてまったく論じてはいけないとか、女性はあるやり方でだけ、つまりきわめて特殊な領域に限定された接近法によってだけそれができるとかいう考えにもかかわらず、女性が物語を書こうとも、男性が女性に物語を語ろうとも、まったく同じことだと私には思われる。しかし私を非難するすべての人のなかにも、何も書かないか、それとも神について書くよう私に無理強いするほど頑迷でない人びとがいることを望んでいる。（Tyler 1578, A4r.-v.）

傍線部分で著者は〈女性が物語を書くことは正当である〉といった趣旨のことを言いたいのだろうから、この部分を大前提とする次のような三段論法の小前提と結論が省略された、伝統レトリックご愛用の《省略三段論法》を使っていると考えられる。

［大前提］「男性が女性に物語を語」ることと「女性が物語を書」くことは等価である。
［小前提］「男性が女性に物語を語」ることは正当である。
［結　論］したがって「女性が物語を書」くことも正当である。

ここで小前提のほうは（当時としては）自明であるから、問題は大前提が正しいかどうかである。「男性が女性に物語を語」るとは、当時の状況を参照するなら、男性作家がパトロネス（女性パトロン）に作品を献呈するという習慣のことだと推察されるので、この大前提自体が次のような（第1章では説明していないが）やはり伝統レトリックご愛用の《省略三段論法》の結論であることがわかる。

［前提一］男性がパトロネスに物語を贈ることと、パトロネスがそれを読むことは等価である。
［前提二］物語を読むことは物語を書くことを含意する。

［結論一］したがって男性がパトロネスに物語を贈ることと、パトロネスが物語を書くことは等価である。
［前提三］パトロネスの属性はすべての女性に共有されている。
［結論二］したがって男性がパトロネスに物語を贈ることと、すべての女性が物語を書くことは等価である。

これら三つの前提自体がさらに飛躍を含んでいる。前提一では書物を贈られることとそれを読むことのリンクが、前提二では読書と執筆のリンクが、前提三ではパトロネスという部分とすべての女性という全体をつなぐリンクが書かれていないからである。したがって好意的な解釈者はこれらのリンクを補わねばなるまい。とすると第一のリンクは、当時のパトロネスが献呈された本を読む能力と意志を持っていたという実証的研究によって、第二のリンクは、読書行為から著作行為への転換という哲学的テーゼ（たとえばプラトンが『イオン』で書いているような霊感の連鎖に関する学説）によって、第三のリンクは、当時のパトロネスが当時の女性一般の《範例》だったことを示す実証的研究によって与えられるだろう。

言語運用能力の欠如を理由にした抑圧に抗弁しているのは、イギリスからのちにアメリカに移住した著作家スザンナ・ローソン（一七六二―一八二四年）の『メントーリア』（一七九一年）序文である。

この計画を私がうまく実現したか、それとも失敗したかは、これらの頁を人びとの点検に委ねるよう私に勧めた好意ある友人たちによって今後決められなければならないだけではない。悲しいことに、私は或る賢い批評家によっても判定されなければならない。彼は「鼻眼鏡をかけ、そばに袋を置いて」、顔を伸ばし、馬鹿にした笑いをして、女性の文学作品を批評するために座る。彼は数頁めくり、それから

著者のthatとかthereforeという語をつかまえて、理由やわけを挙げずにただちに彼女を糾弾する。

そうなると、ああ！　私の運命はどうなることか？　私の教育は女性として必然的に制限されたし、私のわずかな知識は純粋な自然から拾い集めただけだし、こういう重大な主題について熱狂で感じるままに書くのだから。(Rowson 1794, pp. iii-iv)

thatやthereforeといった機能語をうまく扱う言語運用能力に難があるという理由での女性攻撃に対する著者のスタンスは、メタ談話標識の一つ《態度的形容詞》である「悲しいことに」や、ポリフォニー標識の《アイロニー》である「賢い」から明らかである。評価の規準をそんなものではなく「自然」や「熱狂」にして欲しいという著者の願望は、適用される法令の変更を求める伝統レトリックの《転移の問題状況》である。「賢い批評家」を引用した後では、教育の不足が言語運用能力の欠如の原因だとされる。しかし何も好き好んで教育が不足しているわけではなく「必然的」だったとい

う主張は、《弁明》という言語行為と見ることができる。

他方、著作自体に属する抑圧の理由としては、女性の作品における価値の欠如が挙げられる。イギリスの詩人サラ・ディクソン（一六七一―一七六五年）の『折々の詩』（一七四〇年）の序文にそれが見られる。

本書の著者が以下の頁を一般的監査と公共的非難にさらすのは、虚栄心やばかげた過大評価によるのではなかった。知識と学問のある人びとの行為と寛大な許可を確信する理由がないなら、非難がいかに厳しいか、一般の尋問が著者にどれほど重い追加的不安をもたらすか、著者は知っている。というのも、並外れたやさしさゆえに無害な愚言を我慢する気になったのでない限りは、賢明さゆえにそのようなつまらぬものは楽しまない多くの著名な人士の名前を予約者のリストに見るという光栄に著者は浴しているからである。（Dixon 1740, n. p.）

「無害な愚言」、「つまらぬもの」という語句は、女性の書くものがどんな非難にさらされる傾向があるかを如実に物語っている。それに対して著者は予約者のリストにある人びとの高い評価で対抗している。「なかった」はポリフォニー標識の《否定》である。

しかし、すぐれた女性たちと著者が共有する慎み深さを、先ほど述べた理由が凌駕するまでは、著者は本書を印刷所に送ろうとは思わなかっただろう――読者が印刷物でどんな欠点に出会おうとも、それを著者に帰してはならない。(ibid.)

「先ほど述べた理由」とは一つ前の引用で語られた理由を指す。判断力のある人びとの高い評価が「慎み深さ」を「凌駕」したという言葉は、伝統レトリックの《比較問題》に該当する。つまりすぐれた書物を世に出すことと、慎み深さを守って出版しないことを価値の点で比較して、前者を選択するという論法である。

文学が持ちうる価値のうちでも特に美的質が欠如しているから書いてはダメだという非難を見よう。イギリスの小説家エリザベス・ヘルメ（一七四三―一八一四年）の『ルイーザ』（一七八七年）序文にはこうある。

> 私の田舎家を一瞥するかもしれない人びとの中には、もっと壮大で堂々とした建造物を選ぶ人が多くいることを私は疑わない。田舎家は宮殿より先だと言う必要があろうか。建築の美と秩序は日々の仕事ではないと言う必要があろうか。そう考えれば、誠実な批評は、女性の新人に味方して、その厳しさを多少やわらげるだろう。女性の新人の誤りは心ではなく頭の誤りである（と私は信じる）。有力者の方々よ、慈悲深くあれ。あなた方の不認可の激流が私のみすぼらしい家を押し流さないようにしてください。そして厳しすぎる過酷さで、私の建物の不完全さを、あなた方ほど識別力のない目にさらさないでください。(Helme 1787, pp. vii-viii)

「壮大で堂々とした建造物」や「建築の美と秩序」という箇所は、ここで問題になっているのがいわゆる美的質であることを示している。避けがたいことであると言うのは言語行為としての《弁明》にあたる。メタ談話標識としては、《確実性標識》である「疑わない」、《設問法》である「必要があろうか」、《認知動詞》である「信じる」、《読者への呼びかけ》である「有力者の方々よ」がある。

人種差別

人種差別にも性差別と似た点がある。つまり特定の人種であることに由来する奴隷の身分の者が執筆、出版することは分限逸脱だとする規範が存在した。したがって、その規範から予想される攻撃に対して（元）奴隷の著者が予防するのは当然のことだった。ここで取り上げるのはアメリカの著作家ハリエット・ジェイコブズ（一八一三—九七年）の自伝『ある奴隷少女に起こった出来事』（一八六一年）の序文である。アフリカ系アメリカ人である彼女は、北部に逃れるまで長年南部州で奴隷としていたげられていた。しかも彼女の場合、性暴力の対象になるという女性差別も加わっていた。

読者よ、この物語はフィクションではないと納得してください。私の経験のいくつかは信じられないと思われるかもしれないことはわかっている。しかしそれは完全に真実である。奴隷制によって私に課された悪を私は誇張しなかった。それどころか、私の記述には事実がかなり不足している。私は場所の名を隠し、人物には架空の名を与えた。私自身の説明には秘密にする動機はないが、この方針をとることが親切で優しいと思った。(Jacobs 1861, p. 5)

書き始めとして読者をまず「つかむ」ため、《否定》の「ない」と「誇張しなかった」、《譲歩》の「しかし」というポリフォニー標識、《読者への呼びかけ》の「読者よ」、《ヘッジ》の「かもしれない」、《認知動詞》の「わかっている」、《態度的形容詞》の「親切で優しい」というメタ談話標識を用いている。

企てた仕事に対してもっと有能だったら、と思う。しかし読者が状況を考慮して欠点を許してくれると信じている。私は奴隷として生まれ育てられた。そして二七年間、奴隷状態のままだった。北部に行ってからは、自分の暮らしと子供たちの教育のために勤勉に働くことが必要だった。それによって、自分を向上させる機会が当初失われたことを穴埋めする多くの時間が与えられることはなかった。そしてまた、家事のあいまのこま切れの時間で本書を書かざるをえなかった。(ibid.)

状況ゆえに著作の欠点は避けがたかったという段落全体の趣旨は、《弁明》という言語行為である。引き続きポリフォニー標識(「しかし」、「なかった」)、メタ談話標識(「信じている」、「必要だった」、「書かざるをえなかった」)が現れている。

私が初めてフィラデルフィアに来たとき、ペイン主教は自伝を公刊するよう勧めたけれども、そういう仕事をする能力はまったくないと答えた。そのときから多少知性は磨かれたが、いまだに考えは変えていない。(ibid., p. 6)

自分としてはその気はなかったが、人の勧めで出版したというのは、ポライトネスの《気後れ》である。

しかし、そうでなければ出過ぎた真似に見えるかもしれないことを、私の動機が弁明してくれると思う。私は自分に注目を引くために経験を書いたのではなかった。逆に、自分史については沈黙を守るほうが私には快かっただろう。また、私の苦しみに同情してほしいわけでもない。そうではなくて、北部の女性が南部の二百万の女性の状態——いまだに拘束され、私と同じく、しかも大部分は私よりひどい苦しみを味わっている——を実感することを私は真剣に望んでいる。奴隷制の何たるかを自由州の人びとに知ってもらうため、もっと筆の立つ人の証言に私の証言を加えたい。その忌まわしい地獄がいかに深く、暗く、汚いかは、経験によってのみ誰でも理解できる。しいたげられた人びとのためのこの不完全な努力に神のお恵みがありますように。(ibid.)

「動機」を知らないと「出過ぎた真似」と思われるということは、元奴隷の女性が著作を出版することとは一般に分限逸脱ととられる土壌があったことを示している。それに対して著者は、意図を正しく理解すれば悪くはないと判断されると述べている。言語行為の《説明》である。

奴隷制が廃止されると（元）奴隷の執筆、出版に関する規範は次第に希薄化したが、著述における人種差別の問題がなくなったわけではない。たとえば、差別用語を使わないという規範と、歴史的テクストは改変すべきでないという規範との間に衝突が生じているという状況が今日存在する。ここでは代表的な例を一つだけ取り上げよう。

マーク・トウェイン研究家アラン・グリッベン（一九四一年生）は「Nワード」つまりniggerという語をすべて「奴隷」に置き換えた『ハックルベリー・フィンの冒険』の校訂本を二〇一一年に出版した。その序文で彼はその理由を説明している。

> この状況についての私の理解は、断固とした決心に結晶した。読者がこれほど多くの頁でNワードに出会うことを強いられないなら、二つの小説は疑いなく深く真に享受されることができる。したがってこの版で私はNワードのすべての用例を「奴隷」に置き換えた。「奴隷」という語は意味と含意がNワードに最も近いからである。テクストはNワードが帯びる辛辣なとげをいくぶん失うけれども、その対価は、もっと不快な語が現代の読者に催させる嫌悪感に比べれば小さいように思われる。また、奴隷制は人間性に対する侮蔑だと世界的に認識されている。
>
> かなり多くの学校教師、大学教員、そして一般読者は、決してその毒を失っていないように思われる人種差別用語から読者を免れさせる、トウェインのまとまりのよい小説の版の選択を歓迎するだろうと私は信じている。（Gribben 2011, pp. 12-13）

骨格は《比較論法》である。置き換えることの損失、つまり「辛辣なとげ」の喪失と、利益、つまり「嫌悪感」の解消をはかりにかければ、天秤は後者に傾く、というわけである。メタ談話標識の《確実性標識》である「断固とした決心」と「疑いなく」、ポリフォニー標識の《譲歩》である「けれども」、メタ談話標識の《認知動詞》である「信じている」なども、読者との関係を構築しつつ論を進めるのに寄与している。ちなみに、この《比較論法》に対しては、天秤は逆のほうに傾くという批判が少なくない。これは適用される法令をめぐって争う伝統レトリックの《転移の問題状況》とも、二つのうちどちらを選ぶかという伝統レトリックの《比較問題》とも見ることができるが、いずれにせよ、かなりきわどい勝負である。

第12章　有害無益

先行する五つの章では、瀆神や猥褻など特定のトピックについて攻撃される特定の文学作品を扱ったが、瀆神であろうとなかろうと、猥褻であろうとなかろうと、そもそも文学一般（時として詩一般、あるいは小説一般）を百害あって一利なしとして丸ごと否定する人びともいる。[1] 本章はそういう攻撃に備えて文学書の序文に構築された防御陣を取り上げる。それには著作自体の機能――教育や娯楽――に注目する議論と、読者の態度に注目する議論がある。このうち教育的機能は教訓――寓話や範例によるもの――または予備教育としての文学に帰せられる。

教育的意義(1)：寓　話

トマ＝シモン・グレットの『ペルー物語』を英訳したサミュエル・ハンフリーズの訳者序文から引用する。

たしかに、すべてのフィクションは総じて不適切で良くないとする多くのまじめで思慮深い人びとがいることに私は気づいている。そういう人びとは読書の理性的な快楽を深い学識と確実性の著作に限定する。それに説得されて、彼らは自然の哲学的体系、道徳と宗教に関する秩序だった論文、数学的探究を、知識の純粋な流れが人の心に流れ込む唯一の源だと考えている。(Humphreys 1734, pp. ix-x)

何を内容とする攻撃に立ち向かおうとしているのかを提示する箇所である。「理性的」、「学識」、「確実性」という語は、(詩を「巧妙なナンセンス」と呼んだニュートンのように) 感性的言説に対する知性的言説のみを精神の糧と認め、感性的なフィクションに意義を認めない、という立場からの攻撃であることを示している。確かにフィクションには知性的なものもあるが (法的擬制など)、文学的フィクションが想像力の所産として感性的であること自体は動かせない。優劣問題は別としてであるが。なお「たしかに」はポリフォニー標識の《確認》である。

各々の学問は価値ある何らかの贈り物をわれわれに与えてくれる。そして神学者も道徳学者もわれわれの魂を教化できると正当に言う。しかし私はこの譲歩をしたけれども、こころよい、うまく書かれたフィクションに何らかのメリットを認め、読者の向上に寄与できる類の著作に入れても許されるだろうという希望を持っている。(ibid., p. x)

著者は学問の意義を認めつつ、文学的言説にも存在意義があると主張する。「しかし」はポリフォニー標識の《譲歩》、「許されるだろう」はメタ談話標識の《ヘッジ》、「希望を持っている」はメタ談話標識の《発語内行為標識》である。

> 知恵を伝えるために古代人が寓話を選んだことはよく知られている。ギリシアのイソップ、アラビアのルクマーン〔アラビアの伝説の賢者で、イソップのような寓話で知られる〕は、人類を向上させるようライオン、オオカミ、キツネに説いた。そして地上におけるその種類と分布によってわれわれに与えた教訓ゆえに、それらの猛獣が小型、大型の家畜に与える略奪を許すようわれわれに勧めるほどだった。(ibid., pp. x-xi)

寓話作者の範例として二人の名が挙げられている。そして彼らの寓話を紹介したあと、

> これら〔イソップなど〕の寓話は、さまざまな例で徳性と道徳を勧めるためのものである。そしてさまざまな驚くべき出来事で想像力を楽しませつつ、同時に同胞に対する人間性、祖国愛、不幸の中での勇気、女性に対する愛の清純さの親しい印象で読者の心を動かす。(ibid., p. xi)

と書く。「想像力」による感性的表象が道徳的意義を持つゆえんを、ハンフリーズはそれが「寓話」であることに求めていると言える。

同じく「寓意的意味」というキーワードで有害無益説に立ち向かうのは、イギリスの著述家ジョン・ハリントンである。彼はイタリアの詩人アリオストの『狂えるオルランド』の訳に付けた序文

で、詩に対する三種の攻撃をまず挙げる。

今、三種の攻撃者を相手にしなければならない。一つは、すべての詩を非難する人。これは（いかに強力なリーダーを持っているとはいえ）非常に弱い党派であると思う。もう一つは、詩一般は認めるが、この特定の詩は認めない人。これはあまり多くない。第三は、芸術や作品は我慢するが、私の扱い方を非難する人である。（Harington 1634, 2v.）

ここで問題にするのは第一の攻撃である。その攻撃の代表者として彼は一人の論客の名を挙げる。

しかし主要な異議に短く答えよう。侮りがたい学識と権威の持ち主コルネリウス・アグリッパ〔一六世紀のドイツの著作家〕は詩人と詩に対して激しい攻撃を行っている。そして彼の非難の要点はこうである……詩は嘘を養い、愚者を喜ばせ、危険な過ちを育て、ふしだらな行為をそそのかす。（ibid., 3v.）

ここで四つの点にまとめられているアグリッパの原典ではこうなっている。

みだらなリズム、韻律、そして言葉だけの空しい響きで、愚かな人びとの耳を魅了し、物語の心地よい誘惑と捏造された筋によって心を誘惑し、欺くことだけを目的として発明された技術。それゆえ、嘘の建築者、邪悪な考えの養育者と呼ばれるのがふさわしい。(Agrippa 1537, b3r.)

傍線部の語句によって、詩が有害である重要な理由として感性的側面が強調されている。これはハリントンでは前面には出ていない契機だが、知性的言説に対する感性的言説の劣位を述べるハンフリーズとの共通性をとらえることができる。そして上述の四つの点のうちの第一である、詩は嘘をつくという攻撃に対してハリントンはこうこたえる。

古代の詩人はいくつかの異なる意味をいわばその作品に包み、それらを真義、神秘と呼んだ。(Harington 1634, 4r.)

詩には三つの意味があり、たとえば〈ギリシア神話のペルセウスがゴルゴーンを退治し、そのあと天に上げられた〉というのは「字句通りの」意味、〈賢者ペルセウスは罪と悪を滅ぼし、徳の領域にのぼった〉というのは「道徳的」意味、〈神が生んだ人間の魂は地上的性質を滅ぼし、天上のものを観想する〉というのが「寓意的」意味である。後二者の価値は明らかであることから詩の存在意義を弁護している。

攻撃の第二点、「愚者を喜ばせ」るということについては、こう書いている。

第二の異議は愚者を喜ばせることである。賢者を不快にしないことはすでに述べた。愚者、無知な人を喜ばせるという長所をそれが持っているなら、それは非難ではなく賞賛されることだと私は考えたい。したがってそれは愚者を喜ばせ、もし愚者がそれに注目し、よく観察するなら、やがて賢くなることを私は認める。なぜなら詩には善と甘さ、〔苦いが薬となる〕大黄根とシュガーキャンディー、快と有用の両方があるからである。したがってホラティウスが「快に有用を混ぜ合わせた者は、全ての人の承認を得るだろう」と言うように、甘さと有益さ、快と有用を混ぜることができる者は無条件によい著者である。(ibid., 5v.)

快で教訓をくるんで飲み込みやすくするという論法である。知性的なものの補完者としての感性的なものというモチーフが引き続き見られる。

教育的意義(2)：範　例

一九世紀になると現実生活を描く作品が多くなるのに伴って「寓話」、「寓意的意味」というキーワードはあまり持ち出されなくなるが、教訓を与えるものとして文学を弁護する方針は引き続き見られる。この場合、登場人物は読者にとっての範例の役割を果たす。たとえばカロライン・マチルダ・ウォーレンは『ばくち打ち』の序文で書いている。

説教壇からの道徳的教訓には反抗するであろう軽薄で無分別な心も、「物語の」外観をして差し出された教訓は貪欲に理解するだろう。

「娯楽に教訓を混ぜ、想像力をたのしませると同時に心を矯正する」ことが著者の目的だった。どれほど成功したかは率直な読者が決めるだろう。(Warren 1828, pp. ii-iii)

「説教壇からの道徳的教訓」、つまり知性的言説が通じにくい受容者にとって、文学はオブラートのようなものであり、それで包むことによって教訓を飲み込みやすくなる、という趣旨である。引用符をつけられた二つ目の部分はホラティウス的動機の変奏である。ただし範例となるためには条件がある。スーキー・ヴィッカリーは『エミリー・ハミルトン』序文で書いている。

疑いなく多くの欠点が発見されるだろう。私の若さと貧しい教育がその弁明とならなければならない。小説を読むことは、世界についての誤った観念を与え、美的感覚をひどく酔わせて、若者が関与しなければならない状況への嫌悪を引き起こすことによって、若い心に極めて有害であるとしばしば言われる。(Vickery 1803, p. iii)

「若さと貧しい教育」によって自作の欠点を《弁明》したあと、自分もまきこまれるであろう小説一般に対する非難を他者の声として響かせている。

この意見は多くの場合当てはまるだろうし、これまでに多くの若者の破滅の例があった。この破滅はこの種の読書に早くから執着することによって若者が吸収したロマン的幸福の誤った考えによって生み出されたのである。しかし小説に無差別に有罪を宣告してはならない。(ibid., pp. iii-iv)

「しかし」という《譲歩》のポリフォニー標識によって響く二つの声は、小説に対する全否定と部分肯定である。

なぜなら多くの小説は無害で教訓になる娯楽を与え、最上の文体で書かれているので、若い読者に優雅な言葉と観念を与えるからである。(ibid., p. iv)

「教訓になる娯楽」という語句は、快と教訓を詩の二つの目的として挙げるホラティウス的動機の変奏である。

現実生活から遠く離れたところにわれわれをつれていき、実現できない無数の魅力的なイメージで想像力を満たし、同時に完全な現世の幸福の観念を伝える小説は、真実を物語の虚構から区別するのに十分な判断力が成熟するまで読まれてはならない。しかし現実生活の興味深い状況に基づく小説は、最も快い仕方で若い精神に道徳的教訓を与えると判断してよい。(ibid.)

「若い」心にとっての範例となるためには、日常からかけ離れた絵空事ではなく、若者にとって身近な事象を描かなければならないという条件を課している。「読まれてはならない」はメタ談話標識の《態度標識》、「しかし」はポリフォニー標識の《譲歩》、「判断してよい」はメタ談話標識の《態度標識》である。

予備教育

同じく教育的意義によって文学を擁護するとはいえ、それが与える道徳的教訓という理由以外のものにうったえる人もいる。それは実利である。これは、若者という読者層にとっての文学の害毒についてて論じていながらも、嘘や反道徳性という告発ではなく、実用性の欠如という告発を想定したものである。事実、どこかの国ほどひどくはないが、いつの時代にも実利優先の考えは見られ、若者の教育についても、虚構である文学ではなく実用性のあるほかのことを学ばせるべきだという議論があった。たとえばフリードリヒ・ゴットリープ・バルトはプロペルティウスの校訂本の序文でこう書いている。

> 特に詩を読むことの有用性についてはさほど疑われず、多くの人びとがあまりに多くの情熱をそのジャンルに注いでいる点のみが非難される。つまり若者は詩を読んだり書いたりすることよりも、雄弁のほうに力を入れるよう励まされるべきである、と。(Barth 1777, p. iv)

「よりも」はポリフォニー標識の《比較》で、実利重視派の観点から見て他者の声である詩推進派に対して、雄弁優先という自分の声を響かせている（のをバルトは間接引用で他者の声として提示している）。

> これはそうあるべきではないと私は思う。というのも、ことの重みを正確に測り、調査してみれば、古人たち、そして長所と短所両方の審判者ペトロニウスが言う[2]ように、詩の勉強は雄弁の練習より優先されるべきであるという考えが理の当然だからである。(ibid.)

「より」はここでは地の文なので、批判者の声とバルト自身の声のポリフォニーを表示している。「べきではない」と「べきである」はメタ談話標識の《態度標識》である。

> というのも、詩を読むことは青年に多くの利益をもたらすが、特に詩人についての丁寧で熱心な議論は彼らに推奨されるべきだと思われる。なぜなら詩それ自体が雄弁を習得する道を整備するからである。なぜかと言うと、韻律を除けば、詩と弁論は多くの点で一致することは疑いないからである。(ibid.)

「べきだ」は《態度標識》、「思われる」は《ヘッジ》、いずれもメタ談話標識である。それ自体は非実利的な詩に、実利的な弁論の予備教育という道具的価値を認めるのは西洋古代から近代にいたるまでの伝統で、バルトもそれに立脚している。

娯　楽

教育的有用性ではなく娯楽として文学を擁護する人もいる。アメリカの小説家ラルフ・インガーソール・ロックウッド（一七九八―一八五五年頃）は『反乱者』（一八三五年）の序文で、大抵の人が「フィクションの世界の全文学を無益と糾弾する」が、それに対しては「われわれがそこから娯楽を得るような種類の作品をうまく提供するどの著者も（むろん趣味や道徳に違反しないという条件下だが）読者の役に立った」（Lockwood 1835, pp. v-vi）という一つの反論で十分だとしている。

読者の態度

以上は著作の側の問題として論じるものだが、ここからは読者の側の問題として論じるものを見よう。これは読者の読解態度に何らかの問題があることを指摘して攻撃に対抗するものである。

クララ・リーヴは『イギリスの老男爵』の序文で、どんなものにもよいところがあるという哲学的・神学的格率を持ち出す。

それ〔ロマンス〕が悪用され、人間の風俗、道徳を堕落させることがあるのは私も認める。詩もそうだし、劇もそうだし、創作のすべての種類がそうだろう。しかしそれは「地上のいかなるものも二つの取っ手を持っている」という、目下最も売れっ子の哲学者たちが復活させた古いこと

わざ[3]以上のことを証明することはないだろう。(Reeve 1807, p. vii)

これは悪い面だけでなくよい面をも見るよう読解態度をあらためよ、という指令と見ることができる。「認める」はメタ談話標識の《発語内行為標識》、「しかし」はポリフォニー標識の《譲歩》、そして引用された文はポリフォニー標識の《ことわざ》である。

同じく読解態度に問題ありと言う人にはイギリスの医者・詩人サミュエル・ボーデン（一七三三―六一年活動）がいる。彼は芸術に対する否定的主張が成立する二つの要因として、芸術に対する感覚の欠如と他者の判断に対する不寛容を挙げ、いずれも望ましいものでないと言って対応する。その『さまざまな主題に関する詩集』（一七五四年）の序文にはこうある。

趣味、つまり詩に対する感覚を持たないほど木石で、粘液質で、非音楽的な気質を持ち、くだらない、幼稚な、あるいは危険な娯楽だといっていつも詩を攻撃している人びともいる。(Bowden 1754, p. xviii)

詩に対する攻撃の二つの要因が挙げられている。一つは「粘液質」であり、詩に対する感覚の欠如を特徴とする。「粘液質」は四つあるといわれている気質の一つで、医者でもあったボーデンらしいことば使いである。もう一つの要因は、考えを異にする人に対する攻撃というふるまいである。

> しかし音楽自体に何の耳も情熱も持たないこの不協和な、あるいは不幸といってもよい気質は、それを持っている人を非難すべきではないし、その職業の人と口論すべきではない。音楽を理解していないか、それとも享受していないのだから。(ibid.)

ここで語られる「音楽」と、当初の話題である詩との関係については、音楽を詩のメタファーとして見ているのか、それとも音楽(music)という語が由来するギリシア語の「ムーシケー」は音楽だけでなく詩など芸術一般を意味していたという古い用法をふまえているのか、やや曖昧である。いずれにせよ詩(や音楽)を攻撃する人びとの気質とふるまいのいずれに対しても著者の態度は否定的である。「気質」については「不幸」というメタ談話標識の《態度的形容詞》が、ふるまいについては「すべきではない」というメタ談話標識の《義務動詞》がそれを表示している。

> これは、そういう人びとの能力や体質のよさではないにしても、気質のよさを疑問視することだろう。(ibid.)

「気質」という語を用いているのは、「粘液質」を持ち出した議論の道すじを継承するためである。その「気質」に対する著者の態度が「よさ」の否定という形で表されている。

> しかし趣味の党派心と頑迷さは、文学と高尚な知識にも、宗教と政治にもある。(ibid.)

詩を攻撃する人びとのふるまいについて、「党派心と頑迷さ」という語句でそれに対する否定的態度を表現し、それが広く見られる現象であるとしてその原因を説明している。

誰もが自分の批評規準を組み立てることができるし、自分の評価においては正当である。(ibid.)

各人が自分の批評規準を持ち、それにしたがった判断は「正当」であるということは、攻撃する人びとのふるまいに対する否定的態度を間接的に表明している。「正当」はメタ談話標識の《態度的形容詞》である。

この頑固で、あまのじゃくで、調子を合わせることができない性質の人びとは、地上では幸福の多くを失い、天上で享受する喜びと至福の部分も、より小さいものになりそうである。なぜなら、その喜びと至福は賛歌と旋律、歌とハレルヤに存すると言われているからである。(ibid., pp. xviii-xix)

攻撃する人びとの気質が「不幸」であるという議論をさらに展開しているのがわかる。

すでに本はたくさんあるので、これ以上は無用という攻撃に対してアメリカの反一夫多妻論者のパドック夫人（一八四〇―一九〇八年）は『罠にはまって』（一八七九年）の序文で防御している。

確かに今日、ずっと苦しんでいる人びとにさらに一書を加える者は皆、それを正当化する申し立てができなければならない。(Paddock 1879, p. 3)

この前の段落では本が多すぎるという状況に言及しているので、「苦しんでいる」という語句は人びとが情報過多に対処しかねているという意味だととれる。そうなるとこの引用文は、出版を「正当化」できる本だけを読者は選べという指示を含意していることになる。著者の正当化は、反一夫多妻の書として「存在意義」があると強調するものである。

出版過多の時代にあって同じく選択という行為を読者に要請しているのは、アメリカの牧師イライジャ・ロビンソン・セイビン（一七七六―一八一八年）の『チャールズ・オブザーバタの生涯と見解』（一八一六年）の序文である。

出版に対しては一般的な異議があるので、本書の著者は予防しておくのが適切だろう。世にはすでに多すぎる本があると言われる。これは確かである。(Sabin 1816, p. 3)

著者はこの攻撃に対して、

しかしだからといってそれ以外の本が無用だということにはならない。……新しい本も、うまく書かれ、適切な主題のものなら、よい結果を生む（ibid.）

と、本の内容次第だという、やはり一般的であろう答弁をしている。

第13章　虚偽と実在指示

すでにプラトンが、神々同士が戦争をするとホメロスが語っているのは「真実ではない」から、ポリスから追放すべきだと書いている（『国家』三七七D―三七八E）。このことは、すでに古代ギリシアの時代から、その言葉が実在を指示するか、それとも指示しない――つまりは虚偽である――かが文学作品にとって重要な問題だったことを示している。本章の目的は、ときとして虚偽であるという攻撃に、ときとして実在を指示しているという逆の攻撃に、またときとして両者の混合比率に問題があるという攻撃に文学作品の序文がどう対応したかを見ることである。

事実性の主張

文学が有害無益であるという攻撃は前章で見たが、この攻撃には、文学が語ることは嘘であるという要素が含まれていた。前章で見たこの論点に対する戦法は、嘘であることは認めたうえで、それに教育的意義がある、というものだった。しかし実はこの攻撃をはじき返す最強の一手がある。それは、そもそも書いてあることは事実であって、けっして嘘いつわりではないと開き直ることである。[1]

もちろん文学にはいわゆる事実の部分も含まれる。歴史小説のようにかなり事実を取り込む場合は言うまでもないが、そうでなくとも地名や歴史的出来事などは事実に即して書かれることが少なくない。けれどもフィクションとしての文学には、そういう事実ではない部分も多く含まれている。したがって語ることは事実であるという主張――これは全称命題として〈語ることはすべて事実である〉という意味にとられる――は、それ自体が偽、フィクションである。それにもかかわらずこの戦術は広く採用される。

書いてあることは事実であると主張する動機は、文学作品は有害無益であるという攻撃に対抗することだけに限られるわけではない。一般に、嘘、虚偽、虚構、作り事、絵空事、非事実、反事実であるという読者の印象が一定程度以上になると、作品受容に何らかの不都合をもたらすと懸念されるすべての場合に、序文でそれに対応しておく動機が生まれることになる。それには、絵空事より実話と思わせたほうが道徳的教化のためにはよいと考えられる場合、虚構よりも事実のほうを読者は好むと読んだ場合、文責や筆禍を回避したい場合、ありそうもない出来事を描いているがゆえに荒唐無稽であるという否定的印象を持たれかねないので、本当らしさの強調が要求される場合など、さまざまに考えられる。前置きはここまでにして、実例に移ろう。

イギリスの著作家ダニエル・デフォー（一六六〇―一七三一年）は『ロビンソン・クルーソー』（一七一九年）の序文において「編者」はロビンソン・クルーソーという実在の人物の話を公表するが、

編者は論述を正当な事実の歴史だと信じている。それには虚構の様子は何もない（Defoe 1790, p. xii）

と書いている。「信じている」はメタ談話標識の《認知動詞》、「ない」はポリフォニー標識の《否定》である。

そのあとに公表された『モル・フランダーズ』（一七二二年）の序文でもデフォーは同じ戦略をとっている。犯罪者としての生涯をおくった主人公モル・フランダーズが自分で書いたという設定だが、やはりデフォーの創作である。しかしモルの実在性を読者にアピールするため、手の込んだ戦術を繰り出している。

> 彼女の物語を完成し、今あなたが見ているようなものにするときに使われたペンは、見られるにふさわしい衣装で包み、読まれるにふさわしい言葉を語らせるのに少なからず苦労した。小さいころから悪事にはしった、否、悪事と悪徳の子ですらある女性が、その悪行のすべてを説明し、最初に不良になった特定の機会と状況にすら言い及び、六〇年の間に経験した罪の連鎖を説明するとき、特に不道徳な読者が悪用する余地を残さないようきれいに包む責任を負うのに著者は四苦八苦せざるをえなかった。（Defoe 1840, pp. ix-x）

「不道徳な読者」は《直接的に特徴づけられた読者》である。実在世界に属する読者に呼びかけることで、著者の編集行為（実際には初めから存在しない頁を編集するもへったくれもないのだが）の現実性が推定され、ひいては編集前の原稿の実在性も推認されるという仕掛けになっている。

このために、慎み深く語ることができないような彼女の生涯の悪しき部分は完全に削除された。またひどく短縮された部分もある。残ったものは最も清廉な読者や最も節度ある聴き手の気分も害さないだろうと期待している。(ibid., p. x)

「最も清廉な読者や最も節度ある聴き手」も《直接的に特徴づけられた読者》であり、(実際には存在しない)削除、改竄行為の存在を介して、語られたことの現実性のイリュージョンづくりに貢献している。

虚構を事実と称して公表するケースが多いので、自分はそれとは違うという差異化をわざわざはかる人もいる。イギリスの著作家エリザ・ファウラー・ヘイウッド(一六九三頃—一七五六年)は『ヘブライの女性』(一七二九年)でこう書いている。

単なる創作の結果が最近『秘められた歴史』のタイトルでたくさん出版されているので、それと区別するために、あの不運な紳士の家族と親密な関係をもった一人の人によって私に伝えられなかった出来事は一つも挿入しなかったと読者に告げざるを得ない。(Haywood 1729, n. p.)

「なかった」はポリフォニー標識の《否定》、「告げざるを得ない」はメタ談話標識の《義務動詞》である。

「発見された手稿」

埋もれていた手稿を自分または第三者が発見して、そのまま出版した、という設定も多い。いわゆる「発見された手稿」のトポスである。カナダの作家エドワード・レイン（生没年不明）の『逃亡者』（一八三〇年）序文にはこうある。

しかし覚えておいてほしい。これはまんざら空想の作品でもない。なぜなら、「キャビンボーイ」の筆に帰せられたいくつかの章は、現実の事実を含んでいるし、今私が所有している彼自身の手稿から正しく写されたものであるから。(Lane 1830, pp. v-vi)

「ない」はポリフォニー標識の《否定》である。

フランスの劇作家・小説家ピエール・ド・マリヴォー（一六八八―一七六三年）は『マリアンヌの生涯』（一七三一年）序文で、

この物語は人びとを楽しませるために創作されたと疑われるかもしれないから、私はこれをすぐ後で述べる仕方で実際に発見した友人から手に入れたと読者に警告すべきだと思う。(Marivaux 1756, n. p.)

と書いている。「かもしれない」は《ヘッジ》、「警告す（る）」は《発語内行為標識》、「すべき」は《義務動詞》、「思う」は《認知動詞》である。いずれもメタ談話標識である。「発見された手稿」のトポスは、事実であるという主張の手段になっていると同時に、メタ談話標識の《言説帰属者》、伝統レトリックの《転送論法》でもある。いくつかの機能を併せ持ったすぐれものである。

ありそうもない出来事

ありそうもない出来事を描いているので、事実であることを述べておく必要があった例としては、イギリスの小説家ウィルキー・コリンズ（一八二四―八九年）の『白衣の女』（一八六〇年）がある。初版の序文にはこうある。

> 頁の大きな部分は何百もの小さな「つなぎ」で占められている。それらはそれ自体としてはつまらないものだが、しかし物語全体の滑らかさ、現実性、蓋然性を維持するには極めて重要なものである。（Collins 1860, p. viii）

物語は現実の無限の多様性すべてを語ることはできず、多かれ少なかれ省略せざるを得ないが、それでも現実を構成するものをなるべく多く語ることによって現実に近い似像を作ることができるので、「現実性、蓋然性」が生まれる、というロジックである。「しかし」はポリフォニー標識の《譲歩》である。

翌年に出た新版の冒頭にはこうある。

法律違反についてのストーリーが法廷で複数の証人によって語られるように、ここに出された物語は複数の筆で語られるだろう。いずれのケースも目的は同じである。つまり常に最も直接的で最も明瞭な面で真理を提示し、それぞれの段階でそれに最も関係の深い人に自分の経験を一語一語語らせることで、出来事のつながり全体をたどることである。(Collins 1861, p. 1)

異なる証言をつきあわせることで真実に迫る法廷にたとえられることによって、「真理」が解明される場として小説が特徴づけられている。

アイルランドの小説家ブラム・ストーカー(一八四七―一九一二年)の『ドラキュラ』(一八九七年)は怪奇小説と言われるが、やはり序文で事実性が強調されている。

これらの文書がどう並べられているかは、それらを読めば明らかになるだろう。後世の信念の可能性にほとんど矛盾する歴史が純然たる事実として現れるように、不必要なことはすべて削除した。過去のことについて記憶が誤っているかもしれない言明は一つもない。なぜなら選ばれた記録はすべて正確に同時代のものであり、それを作った人びとの観点から、その知識の範囲内で与えられているからである。(Stoker 1899, n. p.)

書かれた内容は「後世の信念の可能性にほとんど矛盾する」もの、つまり信じられない出来事であるにもかかわらず、「歴史」的「事実」だと作者は主張している。「ない」はポリフォニー標識の《否定》として、事実誤認があるはずだという他者の声を響かせつつ、それをしりぞける働きをしている。

虚偽性の主張

以上は虚構ではなく事実だと主張する立場だが、時代が下ると、逆に事実ではなく虚構だと主張する立場が多くなる。その理由としては、読者が現実よりも虚構を好むから、というシンプルなものもある。カナダの小説家リチャード・ラニガン（生没年不明）は『その二人——五〇年前のカナダ東部の生活』（一八八八年）の序文に書いている。

出来事がすべて現実であると読者に請け合うことは、今日、小説をほめることにはならない。なぜなら、出来事がセンセーショナルである限りで、馬鹿げたほどに虚偽であればあるほど、そういう物語は一定の読者層にはうけるからである。（Lanigan 1888, n. p.）

「ならない」はポリフォニー標識の《否定》である。

もっと多いのは〈この作品はフィクションです、実在の人物や団体などとはいっさい関係ありません〉という実在指示の遮断である。むろんトラブルのもとになりかねないと予想した著者がはる予防線である。フランスの劇作家・小説家アラン゠ルネ・ルサージュ（一六六八―一七四七年）は『ジル・ブラース物語』（一七一五―四七年）の「声明」でこう書いている。

著作に見いだす邪悪な人物や滑稽な人物を実在する人物に当てはめることなしには著作を読めないような人が世間にはいるので、悪意ある読者がこの著作の中の肖像を誰かに当てはめるのは誤りだと私は言明する。私は公にそれを認める。私の目的は人間生活をありのままに描くことだった。私が特定の誰かを指し示す意図を持っているなどとはとんでもないことだ。（Lesage 1868, p. 97）

「悪意ある読者」は読者のふるまいを否定的に表示する《直接的に特徴づけられた読者》である。「言明する」と「認める」はメタ談話標識の《発語内行為標識》、「とんでもない」は《否定》というポリフォニー標識である。

スイス出身で主にフランスで活動した著作家バンジャマン・コンスタン（一七六七―一八三〇年）は小説『アドルフ』（一八一六年）の第二版序文でこう書いている。

しかし私はそれに我慢できない驚きを感じた。そこで私は、『アドルフ』で描かれたどの人物も私の知っている誰とも関係がなく、友人であれどうでもよい人であれ、誰も描写する気もなかったことを繰り返す必要があった。（Constant 1979, p. xvi）

傍線部の二つの《否定》辞はいうまでもなくポリフォニー標識として他者の声を響かせている。「我慢できない」はメタ談話標識の《態度的形容詞》である。

事実であるという主張と虚構であるという主張が一つの序文で対置されることもある。イギリスの小説家トマス・ガスペイ（一七八八―一八七一年）は『カルソープ』（一八二一年）序文でこう書いている。

その細部の多くがフィクションではないという序文が前作に与えられるべきだったと多くの人びとに考えられた。本作では逆の理由で序文が与えられる。以下のシーン……は事実にはまったく基づかないと考えられるよう著者は切望する。登場人物は架空の人物である。そして登場した市長、検死官、その他の人物は、小説の出来事が結びつけられる時期にそれらの地位を占めていた個人をいっさい指示することなく描かれている。（Gaspey 1821, pp. iii-iv）

二つ使われている「ない」は、いずれもポリフォニー標識の《否定》である。第一の用例では、「多くの人びと」の思考内容のうちにある二つの声を対置している。第二の用例では、事実だろうという、著者自身の観点から見て他者の声を提示し、虚構であるという自分の声を対置している。「切望する」は《発語内行為標識》である。

実在指示でないこと自体に対する攻撃ではなく、実在指示でないことを明示しないことに対する攻撃に備える場合もある。イギリスの小説家シドニー・カーライオン・グリーア（一八六八—一九三三年）は『無冠の帝王——高度政治の物語』（一八九六年）の序文で「真実の歴史的記録」ではなくフィクションであるという註は巻末でなく巻頭に置いて強調すべきだったという苦言が以前の作について何人かの批評家から寄せられたと述べたあと、

> 本書は出来事の実際の順序を記述することが目的ではないし、生者であれ死者であれ実在の公人を主要登場人物が描写することは意図されていない。（Grier 1896, p. iii）

と書いている。ポリフォニー標識の《否定》を用いてわざわざこう断っているのは、こう書かないと、序文とタイトルだけを見て実話だと勘違いして購入した読者からクレームがくることを恐れたからに他ならない。

事実と虚偽の混合

以上は事実か非‐事実かという二択をする立場であるが、そうではなく混合比率の問題として考える立場もある。フランスの劇作家ゲラン・ド・ブスカ（一六一三—五七年）は悲劇『スパルタ王クレオメネスの死』（一六四〇年）の「読者へ」でこう書いている。

また、私の主人公がエジプトに着岸するはるか前にギリシアで死んだアギアティスがアレクサン

ドリアに現れるのをあなたが見ても、クレオメネスの歴史を無視したといって私を告発するな。それは私の舞台の美化のためにとった破格であり、主筋を損なわない好都合な出来事は劇詩で容認されるだけでなく、巨匠たちによって常に実践さえされていることを知るがよい。私は真理に少し暴行を加えた。それは私の作品にもっと輝きを与えるためだった。そして私は歴史を知らない人びとを教育することよりも、劇場を愛する人びとの満足を目指したので、後者で優れるために、前者においてあまり正確でなくてもよかった。だから、私の意図を悪くとらないように。もしそれをあなたが非難するなら、あなたは古代の人びとすべてと、この世紀の最も偉大な人びとの見解と戦う覚悟をするがよい。(Guérin de Bouscal 1640, n. p.)

アナクロニズム(時代錯誤)という攻撃に備える防御である。「よりも」というポリフォニー標識の《比較》は、歴史を教えるのが悲劇の目的であるという他者の声に対して、「美化」すなわち芸術的価値が優位にあるという自分の声を響かせている。「主筋」を損なわない限り、という限定付きで事実に対する虚構の優位を主張していると見ることができる。「少し」は伝統レトリックの《量の問題状況》、「非難するなら」はポリフォニー標識の《条件文》である。最後の文は、他にも同じことをやっている人がいるという、言語行為の《正当化》である。

最後に、事実と虚構の両者を抱え込まざるを得ない本性を持つために、両者の関係調整の問題が先鋭化する一つのジャンルを瞥見しておこう。それは歴史小説というジャンルである。事実vs.虚構の対立軸の両端として、「小説」であることに重点を置くスコットと、「歴史」であることに重点を置くブルワー＝リットンを挙げることができるだろう。

ウォルター・スコットは歴史小説『アイヴァンホー』（一八一九年）の献辞にこう書いている。

さらに、もっと厳格な古代信奉者は、このように真実に虚構を混ぜることによって私が現代の創作で歴史の泉を汚し、私の描写する時代についての誤った観念を若い世代に刻み込んでいると考えるかもしれない。この議論の力をある意味で私は認めざるを得ないが、しかし次の考察で反撃したいと思う。(Scott 1823, p. xi)

「しかし」は、論敵の声に一定の力を認めつつ、反撃という自分の声を表明するポリフォニー標識の《譲歩》である。反撃は《対比暗示推論法》で始まる。

完全に正確な情報を装うことはできもしないし、やってもいないことは、外観である服装においてすら真実であるし、言語や生活様式といったいっそう重要なポイントではなおさらその通りである。(ibid., pp. xi-xii)

「すら」、「なおさら」は《対比暗示推論法》である。「外観」と「言語や生活様式」という、忠実性の実現の難易の異なるものの比較に立脚した論法である。

> しかしアングロ・サクソン語やノルマン・フランス語で対話を書いたり、キャクストンやウィンキン・ド・ウォードの活字で印刷してこの小説を公表したりすることはできないのと同様、私の物語が設定された往古の習俗に忠実に即して書くこともできない。何らかの興味を引くためには、主題はわれわれの生きている時代の言語だけでなく、生活様式にもいわば翻訳される必要がある。(ibid., p. xii)

「アングロ・サクソン語」は古英語、「ノルマン・フランス語」は中世にイギリスで用いられた言語、「キャクストン」は一五世紀の、「ウィンキン・ド・ウォード」は一六世紀の印刷業者である。いずれもこの小説が公表された一九世紀から見れば、だいぶ前の時代である。ここには表現媒体から表現内容への推論が見られる。書いたものを当代の読者に読んでもらうためには、当代の言語で書き、当代のフォントで印刷しなければならない。それと同じように、語られる内容（「主題」）、つまり登場人物の生活様式も、当代の読者の理解に合わせる必要がある、という類比による推論である。

そのスコットの向こうを張ろうとしたのがイギリスの小説家エドワード・ブルワー゠リットン（一八〇三―七三年）である。有名な『ポンペイ最後の日』（一八三四年）の作者である彼は、歴史小説『サクソン最後の王ハロルド』（一八四八年）の第三版序文をこう書き始めている。

> 『エディンバラ・レビュー』にあるマビヨンについてのすぐれた博識な論文の著者は、この作品における私の目的を正確に記述している。……確かに「歴史的真理の犠牲を最小にして最大の劇

的効果を生むという問題を解決する」のが私の目的だった。私が書評者の言葉を借りるのは、私の目的をそれ以上簡潔に表現する、あるいは制作と仕上げの中心的特徴をそれ以上明確に説明することは他の誰もできそうにないからである。(Bulwer-Lytton 1853, p. viii)

「すぐれた博識な論文の著者」は《尊敬》のポライトネス表現である。「確かに」はメタ談話標識の《確実性標識》である。引用された書評は、「歴史的真理」と「劇的効果」が相反するという、歴史小説がジャンルとして抱える問題を確かに簡潔に表現している。

続けてブルワー゠リットンはこう述べる。

小説のために歴史の素材を用いる二つの仕方がある。一つは歴史的布置から引き出される追加的興味を理想的人物と想像的作り話に与えるものである。もう一つは歴史自体から物語の中心的興味を引き出すものである。(ibid.)

歴史小説の二つの種類を、歴史と小説のいずれに軸足を置いているかという点で特徴づけている。『アイヴァンホー』の偉大な著者と、内外で彼のマントを分けあった人びとは小説を助けるために歴史を使った。私は歴史を助けるために小説を使い――真正だが無視されている年代記と、考古学のあまり知られていない倉庫から、一般史家が閉じ込められている事実の無味乾燥な叙述に生命を与える出来事と細部の説明を引き出し――、実際の出来事自体から筋を構成し、私が作りうる面白さの主軸を、現実のドラマの生きた演者であった者たちの戦いを物語り、その性格を描写することに置くという、もっと卑しい仕事で満足した。(ibid., pp. viii-ix)

先人スコットの『アイヴァンホー』が開拓した領野には、もう未知の土地が残っていないので、それとは異なる方向性を自分は選ぶ、という宣言である。「もっと卑しい仕事」は、言うまでもなく《謙譲》である。

第14章　ジャンルの規則に違反

ジャンルの規則に違反しているという攻撃を著者が予期するのは、読者がジャンル自体を誤認していると著者が考えているときや、読者がジャンル自体は誤認していないが、そのジャンルの規則の一部に違反しているので、その点をついてくると想定しているときである。前者から取り上げよう。

ジャンル誤認

どのジャンルとして見るかによって芸術作品の記述、解釈、評価が違ってくるのは、文学以外にも広く見られる現象である。造形芸術の分野でそれを例示するために、ここではアメリカの哲学者ケンダル・ウォルトンの使うローマ皇帝の大理石胸像の例をひとひねりしてみよう（Walton 1970, p. 345)。着色像というジャンルしか持たない社会に属する観者が、人間は大理石色をしていないから、この作者は手抜きをしたか、あるいは着色法を心得ていないと評したら、いやあなたは誤ったジャンルに帰属させている、これは着色をしない大理石胸像というジャンルに属するので、そのお約束を心得て見てほしい、と作者は言いたくもなろう。文学でも似たことは起こりうる。このようなジャンル誤認の恐れがある場合、作者は序文で対策を講じようとする。

作品が属するジャンルは序文で直接示される場合もあるし、間接的に示される場合もある。第4章で述べた『ヨハネによる福音書』の例は後者である。それに対して序文がジャンルに直接に言及するのは、どのジャンルに属するかの認識が作品の死活に関わるために、序文が指定するジャンルの作品として読んでほしいという願いが強く込められる場合である。

何が何と誤認されるかというジャンルのペアはさまざまである。小説ではなく訓話として読んでほしいという願いは、イギリスの小説家アメリア・オーピー（一七六九―一八五三年）の『父と娘』（一八〇一年）の「読者へ」にある。

明言された著者として公論の審判の場に現れることには、かなりの不安がないわけではない。――そしてその不安は、構造がどんなに単純であろうとも、申し立てがどんなに謙虚なものであろうとも、物語の形で出る散文のすべてに小説という名を与える一般的習慣によってさらに高まる。

つまり、以下の出版物は、それが作られた意図ではない規準にしたがって裁かれ、それが持とうと意図しなかった長所を欠いているとして批判される危険に直面している。

したがって、『父と娘』は、強い人物、滑稽な状況、大騒ぎ、多様な出来事――これらは小説を構成する――の試みを完全に欠いていて、その最高の申し立ては単純な訓話であると言わせてもらえるよう、ぜひともお願いする。（Opie 1802, pp. v-vi）

「それが作られた意図ではない規準にしたがって裁かれ」は、伝統レトリックの《転移の問題状況》のうち、適用される法令が違うと申し立てるケースであることを示している。本章で扱うジャンル誤認の主張の他の例も、基本的には《転移の問題状況》のケースに属する。他にも「審判の場」、「申し立て」といった法廷用語の使用は、オーピーが序文を法廷文書に擬していることを示している。「強い人物、滑稽な状況、大騒ぎ、多様な出来事」は、どたばた喜劇ないしメロドラマを思わせる。小説とはそういうものだという通念が当時あったことは興味を引く。これに対してオーピー自身は自作を「小説」ではなく「訓話」として読むことを求めている。末尾の「お願いする」は、そのための《発語内行為標識》である。

史劇が創作劇と取り違えられることもある。イギリスの文学者サミュエル・ジョンソン（一七〇九―一八四年）は『シェイクスピア全集』の序文で、

> この著者〔シェイクスピア〕の欠点を並べ立てるとき、三統一の規則の無視、つまり詩人と批評家の合同の権威によって制定され確立されてきた法則に対する違反に私がこれまで言及しなかったことは奇妙に思われるだろう。(Raleigh 1908, p. 24)

と書いている。「三統一」とはアリストテレスを典拠に作劇の規則として通用していた時間の統一（劇世界内部の時間が一日におさまること）、場所の統一（事件が一つの場所で起こること）、筋の統一（行為が一つであること）を指す。「思われるだろう」という受け身の形には、書かれていない行為者とし

て一般の人びとが含意されていると考えるなら、メタ談話標識の《言説帰属者》にあたる。

史劇は悲劇でも喜劇でもないから、この二つの劇に伴う法則のいずれにも従う必要はない。
(ibid.)

史劇は悲劇や喜劇の法則の埒外にあるから、それを「三統一」の規則で律するのは適用される法令を取り違えていることになる、という主張である。「ない」はポリフォニー標識の《否定》である。

専門書、一般書ではなく教科書として見ることを読者に要請する序文もある。古代ギリシアの喜劇詩人アリストパネス（前四四五頃―前三八五年頃）の学校向けのテクストを校訂したイギリスの古典学者ヒューバート・アシュトン・ホールデン（一八二二―一九六年）は、その「読者へ」をこう始めている。

この書の動機を説明するにあたって、好意ある読者よ、あまり長い時間をあなたにかけさせることはない。(Holden 1848, p. vii)

「好意ある」は読者のふるまい方についての著者の要望を表す。「あまり長い時間をあなたにかけさせることはない」は、読者の負担を軽くしようという《尊敬》のポライトネス表現である。

一年前、そのおかげでこの書が日の目を見る最もすぐれ最も立派な人が、アリストパネスの劇の教育用の一冊を望んでいて、それを頼まれたとき、若者を教育する義務を果たす人びとにとって有用で実り豊かな書を私は編むことになるだろうと考えたから、この仕事に喜んで力を傾注した。(ibid.)

「それを頼まれたとき」は、執筆が人の依頼によるものであることを述べるポライトネスの《気後れ》である。「教育用の一冊」は書物が属するジャンルを指定している。

喜劇詩人の版として流通しているものは、単行本として編纂されたいくつかの劇を別にすれば、すべて重大な不都合に悩まされる。その不都合とは、賞賛すべきで立派な主題のうちにわれわれの詩人が持っている多くの破廉恥で恥ずかしいものが、それらの版ではそのまま残っていることである。その結果、いわば泉からのように、そこからアッティカの語法の本来の美が流れ出し、アテーナイ人の生き方と日常生活とフォルムの習慣が、その喜劇で鏡に映したように描かれている、ギリシア語の最高の熟達者が学校ではほとんど無視されたままになってしまった。この不都合を回避するために私はこの版を企てた。だから、学校でこの研究を支配している人びと以外の判断によってこの版を評価してほしくない。(ibid.)

不都合な箇所を削除したとあらわには書かれていないが、本文を見れば、かなりの分量が削除されていることがわかる。つまり第8章で扱った猥褻についての対応の一つである《削除》である。専門家や、学校以外の読者からの、アリストパネスの原典のいくつかの箇所をかってに省いたという非難を予想して、学校用なのでそういう非難は受け付けませんよ、と先手を打っているのが最後の文である。「学校でこの研究を支配している人びと」とは、学校で古典語教育にたずさわる教員や、それを管理する学務関係者を指す。そういう人の判断とは、教科書として判断するというものである（ちなみに本書『〈序文〉の戦略』は専門書ではなく一般書なので、お間違いなきよう）。

芸術が芸術でないものと誤認されることもある。アイルランドの小説家ロバート・ヌーナン（一八七〇―一九一一年）は、ロバート・トレッセルのペンネームで発表した『ぼろズボンをはいた博愛主義者』（一九一四年）序文でこう書いている。

これらの主題を扱っている既存の書物の数を考えれば、本書のような著作はお呼びでないという異議が申し立てられるだろう。(Tressell 2018, p. 2)

「だろう」はメタ談話標識の《ヘッジ》である。この異議に対してヌーナンは二つの答弁を提示する。第一の答弁は、確かにそれに関する書物は多いが、いまだ社会主義が世間に理解されていないので、啓蒙のために書いた、というものである。

大多数の人が社会主義に反対しているだけでなく、平均的な反社会主義者とほんのちょっと会話してみれば、社会主義の何たるかを知らないということがわかる、というのが私の答えである。(ibid.)

読者が正しく状況を理解すれば、私の執筆、出版行為は悪いものではないと判断されるだろうという、言語行為の《説明》である。次に引用する第二の答弁が、いま扱っているジャンル誤認の例となる。

『博愛主義者』は論文や小論文ではなく小説であるというのが、もう一つの答弁である。私の中心目的は、人間的興味に満ちた、日常生活の出来事に基づいた、読みやすい物語を書くことであって、社会主義という主題はついでに扱っただけだった。(ibid.)

「なく」はポリフォニー標識の《否定》である。学術的著作だろうという他者の声に対して、それはジャンル誤認だと指摘している。

イギリスの枢機卿ニコラス・ワイズマン（一八〇二—六五年）も、歴史小説『ファビオラ』（一八五四年）を学術書ととらぬよう序文で警告している。

第二に、このように〔執筆状況を〕述べれば、読者は本書が古代教会についての論文や学術書だと思わないようになる。この小著全体に学識の雰囲気を与え、頁の半分を註と参照で埋め尽くす

> ことほどやさしいことはなかっただろう。しかしそれは著者の意図ではなかった。著者の望みは、むしろ読者をキリスト教初期の慣例、習慣、状況、思想、感情、精神になじませることだった。(Wiseman 1886, p. viii)

「なかった」というポリフォニー標識の《否定》は、枢機卿の書だから学術書だろうという読者の予断をあらかじめ封じている。

歴史ではなくフィクションとして読むよう要請しているのは、ヘンリー・フィールディングの『雑録』第一巻の序文である。

> 他の人びとは(もっと色をなして)私の無知を糾弾するだろう。背教者と呼ばれるユリアヌスに語らせた物語で、私が歴史に暴力を加え、真実と虚偽をほしいままに混ぜ合わせたという理由で。(Fielding 1743, p. vi)

背教者ユリアヌスは『雑録』第二巻に収録された『この世からあの世への旅』に出てくる人物である。『この世からあの世への旅』の導入部では「発見された手稿」のトポスが使われているので、ユリアヌスの話を歴史の忠実な叙述と誤解する人がいると予想している。

> これに対して私は答える。全部フィクションだと私は公言する。私の作品を美しくするために歴

史からいくつかの事実を選び、それに年代を付したが、厳密さには縛られなかった。歴史家に見つけた素材の日付を前にずらしたり、あとにずらしたりした。スペイン史では特にそうで、一つの話でこの両方を自由に行った。(ibid., pp. vi-vii)

実話ではなくフィクションとして読むよう要請することで、生じ得る読者の誤解に対処している。「答える」と「公言する」はメタ談話標識《発語内行為標識》である。

読者のジャンル認識が作品の死活を制しかねない場合には、作者も必死に戦う。ここでは二つのケースを取り上げよう。第12章で扱った寓話として読まれるか、単なる物語として読まれるかというケースと、新しいジャンルの作品として読まれるか、既存のジャンルの作品として読まれるかというケースである。

第一のケースには、ルネッサンス期にイギリスの翻訳家アーサー・ゴールディング（一五三六頃—一六〇六年）が訳したオウィディウスの『変身物語』があたる。これは第7章で扱った瀆神問題に引っかかる危険が大きい作品なので、ゴールディングは「読者へ」において〈神々のありとあらゆる乱行、醜行を語るのは、そのままでは不敬きわまりない〉としてこう述べる。

したがって、このような神々の名を出す博学な人びとは、それらの工夫で何かいっそう深い意味を意図していたとわれわれは考えなければならない。(Golding 1567, p. 16)

「なければならない」はメタ談話標識の《義務動詞》である。たとえば、

「軍神マルス」によって戦争を最後まで戦う強い戦士を意味していた。(ibid.)

がそれである。つまりゴールディングは語られている行為や出来事を神々ではなく人間に帰属させる。そうすれば、

オウィディウスの書いたすべての書のうち、幽玄で深遠な神秘、賢明で聡明な教訓、立派な範例、老人と若者における悪徳の非難をこれほど秘めている書はない。(ibid., p. 18)

ことになる。つまり〈神話〉ではなく〈寓話〉のジャンルに属する作品として読むよう要請している。一五九九年に諷刺詩禁書令が出されて以降、イギリスの詩人クリストファー・マーロウ（一五六四―九三年）によるオウィディウスの『恋の歌』の英訳は、背徳的という予想される攻撃に対して防御措置をとっていなかったので、焚書処分になった。それに対してゴールディングのほうはおとがめなしであった。ここで紹介した〈道徳化〉戦略の勝利と言えよう。

第二のケースでは、新しい種類の芸術なので、旧来の規準ではなく、新しいジャンルに属するものとして評価してほしいと著者は受容者に求める。これはどの時代のどの芸術でもマニフェストとしておなじみの現象だが、それに格好の場を序文は提供する。ヘンリー・フィールディングは『ジョゼ

フ・アンドリュース』（一七四二年）序文を次の言葉で始めている。

普通のイギリスの読者が以下の小さな書物の著者とは異なるロマンス概念を持ち、以下の頁には見いださないし、意図すらされていない種類の楽しみを期待することはありうる。したがって、この種の著作について少し述べるのは悪いことではないだろう。それはこれまでわれわれの言葉では試みられた記憶がない。(Fielding 1780, p. i)

「普通のイギリスの読者」は、第4章で論じた《直接的に特徴づけられた読者》である。それが「ロマンス概念」に関して著者と見解が異なることは、ジャンル誤認の問題を生む。「これまでわれわれの言葉では試みられた記憶がない」は、この作品が新しいジャンルとして評価されるべきであることの理由である。そしてフィールディングはこの作品のジャンルの名を挙げる。

喜劇的ロマンスとは散文の喜劇的叙事詩である。(ibid., p. ii)

「散文の喜劇的叙事詩」は、劇的ではなく物語的である点で喜劇と、筋、行為、登場人物、感情、措辞の点でシリアスなロマンスと異なる。さらにフィールディングは「バーレスク」との差異化をはかる。

しかしわれわれはバーレスク的要素を措辞では時折認めたが、感情と性格からは注意深く排除した。というのも、それらはバーレスクのジャンルの著作でなければ適切には導入できないが、本書をそのジャンルにする意図はないからである。実際、喜劇とバーレスクほど異なるジャンルはありえない。なぜなら、バーレスクは奇怪で不自然なものの表現であり、調べてみるとその喜びは、最高の人びとの習慣を最低の人びとの習慣に割り当てる、あるいはその逆をするときのような驚くべき不合理から生まれるが、喜劇ではわれわれは厳密に自然に限定すべきであり、自然の正しい模倣から、判断力ある読者にこうして伝えることができるすべての喜びは生じるであろうからである。(ibid., pp. ii-iii)

二度現れる「われわれは」はメタ談話標識の《包括表現》である。「意図はない」はポリフォニー標識の《否定》である。「自然の正しい模倣」という言い方は、当時の有力な美学理論を呼び出す作用を持つ。「判断力ある読者」は《直接的に特徴づけられた読者》である。

ジャンルの名称としては同じものを用いながら、その内容の変更を要請するのはフランスの作家ギ・ド・モーパッサンである。『ピエールとジャン』冒頭の「小説について」で小説の目的についてこう書いている。

逆に生活の正確な像をわれわれに与えることを望む小説家は、例外的であるように見える出来事のつながりを避けるべきである。小説家の目的は、物語をわれわれに語ることや、われわれを喜

> ばせたり感動させたりすることではなく、出来事の深い、隠れた意味をわれわれに考えさせ、把握させることである。(Maupassant 1888, p. XI)

「べきである」はメタ談話標識の《義務動詞》、「なく」はポリフォニー標識の《否定》である。

> したがって彼の構想の能力は、感情や魅力、関心をかきたてる冒頭や感動的な結末ではなく、作品の最終的意味がそこから引き出される、繰り返される小さな事実を巧みに集めることに存する。(ibid., p. XIII)

「なく」はポリフォニー標識の《否定》である。ここでは小説という概念の内包を変えるよう著者は読者に要請している。

新たなジャンルを明示するわけではないが、既存のジャンルの規則を破るという仕方でジャンル誤認を間接的に示す人もいる。ベン・ジョンソンは『シジェイナス』(一六〇五年)の「読者へ」でこう書いている。

> まず、私が公刊したものは、時の一致という厳密な法則の点でも、本来の合唱がない点でも、本当の詩ではないと異議が申し立てられたなら、私は認める。(Jonson 1870, p. 272)

ギリシア悲劇の伝統を引き継ぐ悲劇は合唱を含み、また先ほど述べた三統一の規則にしたがっていた。これらの点で伝統的悲劇ではないことを作者自身が認める言語行為は、「認める」というメタ談話標識の《発語内行為標識》によって表示されている。

この習慣とやり方は、古代以来私の知る限り誰も、否この法則を現在守っているふりをしている者も、いまだ達成していないような、極めて難しいものである。(ibid.)

他の人もやっていることなので、自分のしたことは悪くない、というのは言語行為の一つ《正当化》である。

この現代において、そして一般の物事の上演の聴き手にとって、人びとの喜びを保持したまま劇詩のいにしえの状態と輝きを維持することは必要でもないし、ほとんど可能ではない。(ibid.)

二つの「ない」はポリフォニー標識の《否定》である。「劇詩」という既存のジャンルではないことを述べているが、どんなジャンルなのかは明示していない。

もっと強気で上から目線なのはヘンリー・フィールディングである。彼の『トム・ジョウンズ』(一七四九年)は各巻の最初の章が序文的機能をになっているが、第二巻第一章でこう書いている。

だからこの作品を読み進めるにつれて、きわめて短い章と非常に長い章、一日という長さの時間だけを含む章と何年も含む章があり、要するに私の話が停止したり早く過ぎ去ったりするように思われても、読者は驚いてはいけない。なぜなら、それらすべてについて批評的裁判の法廷に対する説明責任が自分にあるとは私はまったく思わないだろうから。というのも本当に私は新しい著作領域の創設者であるから、自分の気に入った法則を自由に作ってよいし、自分の従者と私が考える読者はその法則を正しいと思い、服従する義務を負っているからである。(Fielding 1859, p. 61)

叙述が時間進行速度の点で不均一であるという非難を予想した予防論法であることは直ちに読み取れる。いわゆる「語る時間」と「語られる時間」の関係は美学でもやかましく論じられてきた問題だが、フィールディングは時間進行が均一でない作品の作者である自分を「新しい著作領域の創設者」と呼び、従来の規範で律するのは不適切だと主張している。「批評的裁判の法廷」という語句が表現する法廷モデルの使用、「自分の従者」という《直接的に特徴づけられた読者》、「驚いてはいけない」というメタ談話標識の《義務動詞》、「説明責任が自分にあるとは私はまったく思わない」という伝統レトリックの《論議拒絶》、ポリフォニー標識の《否定》であり、メタ談話標識の《認知動詞》でもある「思わない」にも注目すべきである。

アメリカの作家ファニー・ファーン（一八一一—七二年）は『ルース・ホール』（一八五四年）の序文で「小説」というジャンルの規則にしたがっていないことをことわっている。

私の最初の連続的ストーリーをあなたに提供する。私は「小説」というもったいぶった名をそれにつけない。それが小説を書くことの慣習的規則に完全に違反していることを私は知っている。複雑な筋もない。びっくりさせる展開もない。間一髪の危機回避もない。二巻か三巻にふくらませることもできたであろうものを私は一巻に圧縮した。長い導入と記述を避け、人びとの家に作法も前触れもなく、ベルを鳴らすために立ち止まりもせずはいった。(Fern 1855, p. iii)

この作品は今日では普通に小説と見なされているが、当時としては破格だったらしい。このようにジャンルの規則に違反しているという非難を予期した説明は、当時そのジャンルがどんな規則を守っていたかを知るのに役立つ。「つけない」、「筋もない」、「展開もない」、「危機回避もない」、「前触れもなく」、「立ち止まりもせず」はポリフォニー標識の《否定》、「知っている」はメタ談話標識の《認知動詞》である。

ジャンル誤認なしの規則違反

ここまでの例は、読者のジャンル誤認を是正しようとするものだったが、ジャンルの規則に対する違反が問題になっていてもジャンルの〈誤認〉の問題ではないケースも存在する。それは、そのジャンルに属するものとして提示した作品に、ジャンルのお約束に合わない点が存在する場合である。アメリカの詩人ジョエル・バーロー（一七五四―一八一二年）は『コロンビアッド』（一八〇七年）の序文にこう書いている。

本書を公刊するにあたって、その意図を説明するいくつかの所見を述べるのが適切であるように思われる。古典に通暁した読者は、最も詩的で、同時に、それが目指す品位と有用性の程度に最も達しそうな扱い方と、この主題の性格との折り合いをつけるときに必然的に生じる障害を感ずるだろう。（Barlow 1809, p. iii）

ここで「扱い方」と呼ばれているのは、叙事詩というジャンルのことである。それと主題との不適合を読者が感じることを予想している（したがって《直接的に特徴づけられた読者》である）。そしてその原因を次のように明らかにする。

『コロンビアッド』は愛国詩である。主題は国民的で歴史的である。その限りではわが国民にとって興味深いはずである。しかし大部分の出来事は近時の、重大な、有名なものだったので、フィクションの手で加工できなかった。したがってこの詩は、このジャンルのもっと壮麗な作品が採用し、その成功が大部分基づくと思われる正規の叙事詩形式を適正にまねて作ることはできなかった。それを試みれば、きわめて不当だったろうし、それ自体としては実際に偉大で、興味を失わずに変形することはできない一連の行為を矮小化し、卑小化せざるをえなかっただろう。（ibid., pp. iii-iv）

主題はフィクションではなく事実だから、歴史のジャンルとして書くべきで、叙事詩として書くべきではないのではないか、というのが著者が予想する読者の疑問である。そして読者のその疑問を容認し、叙事詩のお約束であるフィクション性に違反していることを認めている。フィクションにする選択肢はなかったというのは言語行為の《弁明》である。「はずである」はメタ談話標識の《義務動詞》、「加工できなかった」、「できなかった」はポリフォニー標識の《否定》である。

私は叙事詩の本質についての議論に立ち入ることも、書いたものが叙事詩であることを広範な論証によって証明しようとすることもしない。実際、主題は広大である。このジャンルの有名な詩が構成された主題のいずれより、はるかに広大である。そして作品に与えた形式が、主題が受け入れるであろう最上のものであることを私は疑わない。(ibid., p. iv)

「疑わない」はメタ談話標識の《認知動詞》である。ここで著者は叙事詩が主題に適合した最上のジャンルだと主張している。そしてその理由をこう説明する。

叙事詩の長所は行為の重要性、諸部分の配置、出来事の案出と使用、実例の適切さ、イメージの生動性と高雅さ、機械仕掛けの適切な介入、性格の道徳的傾向、感情の強さと崇高さ、そしてこれらすべてが、扱うべき素材にどこでも適した文体をそのエネルギー、協和、優雅さが構成する言語をまとっていることに基づく。（ibid.）

著者は叙事詩の諸特徴を記述し、それがアメリカの叙事詩が扱う主題に適合したジャンルであることを読者に納得させようとする。フィクションではないという規則違反はあるが、長所はそれを凌駕しているというのは、伝統レトリックの《比較論法》である。

ミステリーというジャンルの（当時の）規範に対する違反を認めているのは、長篇としては最初の密室殺人ものと言われる『ビッグ・ボウの殺人』（一八九二年）の序文におけるイギリスの作家イズレイル・ザングウィル（一八六四―一九二六年）である。

『ビッグ・ボウの殺人』は殺人ストーリーとしては傑作だと私には思われる。というのも、大方の殺人ストーリーと同じくらいセンセーショナルでありつつ、〔これまでの〕最上のものより多くのユーモアと人物造形を含んでいるからである。確かにユーモアは多すぎる。ミステリーは冷静で厳粛であるべきである。ポーが作り上げようとするようなホラーと恐怖の雰囲気にみたされているべきである。ユーモアは場違いである。陰鬱な音色を保つほうが芸術的だろう。しかしそのころの私はリアリストだったし、現実の生活ではミステリーはそれぞれユーモアをそなえた現実の人物に起こるし、ミステリー的状況はコミカルなものと混ざりあう傾向がある。（Zangwill 1895, pp. iii-iv）

ポー以来のミステリーの規範の一つである「冷静で厳粛」、「ホラーと恐怖の雰囲気」、「陰鬱な音色」に違反しているという批判を予想し、それに対する弁解を試みている。「思われる」はメタ談話標識の《ヘッジ》、「確かに」はポリフォニー標識の《確認》、二つの「べきである」はメタ談話標識の《義務動詞》、「しかし」はポリフォニー標識の《譲歩》である。

第15章　悪　文

本章は悪文を扱う。ここで悪文とは読みにくい、わかりにくい文であると、とりあえずは――もっとも本章の終わりまでいっても、この定義は精密にもエレガントにもならないけれども――定義しておこう。そういう悪文の実例ならここまでの頁にいくらでもあると突っ込まれそうだが、本章の目的は悪文自体の例示ではなく、悪文についての言い訳を例示することである（もっとも、悪文についての言い訳自体が悪文だったりすることもあるが、それは名文を教えると称するレトリック教則本の文章が拙文であるようなものである）。つまり著者が悪文のどんな症状に対する攻撃を想定し、それに対してどう防御しているか、という観点で序文を分析する。取り上げる序文はいずれもシェイクスピアの悪文に関するもので、シェイクスピア自身ではなく、彼のテクストの校訂者、編集者、註解者による序文である。

サミュエル・ジョンソン

最初の例は、サミュエル・ジョンソンによる『シェイクスピア全集』の序文である。

彼〔シェイクスピア〕はナレーションにおいては、内容に釣り合わない華美な言い回しと、ながながと回りくどいので読者を疲れさせる言葉を偏愛し、少しの語でもっとわかりやすく述べられたであろう出来事を、未完成のままの多くの語で語る。(Raleigh 1908, p. 22)

「疲れさせる」、「わかりやすく」という語句は、ここで問題になっている欠点がわかりにくさ、つまり悪文であることを示している。そしてその症状を「内容に釣り合わない華美な言い回し」と「ながながと回りくどい」と診断する。これらはいずれも表現内容と表現形式の不適合——前者は質の点での、後者は量の点での——を指している。

扱いにくい感情に巻き込まれ、それをうまく表現できず、そうかといって捨てようともしないということがときおり彼には起こる。彼は少しの間それと格闘し、処理しにくいとなると、たまたま浮かんだ語で包み、かける時間がもっとある人びとが解きほぐし、展開させるよう丸投げする。(ibid., p. 23)

「少しの間」、「かける時間」という語句は、悪文の原因として時間不足、推敲不足を示しているが、この原因がしかたのないことだという含みなら、言語行為のうちの《弁明》に相当する。しかし、あまり弁護には聞こえない。サミュエル・ジョンソンは一つの作品の長所、短所を比較して総合的に判定する方針なので、悪文という短所も他の長所によって凌駕され、作品の評価全体としてはプラスになると考えており、この短所自体を擁護する必要を感じていないからである。シェイクスピアの悪文それ自体を短所でなく長所として擁護しようとするのは、次に挙げるドーヴァー・ウィルソンである。

ドーヴァー・ウィルソン

イギリスのシェイクスピア学者ジョン・ドーヴァー・ウィルソン（一八八一―一九六九年）はシェイクスピアにおける文の乱れを、まともな文では表現できない複雑な思考や感情やイメージを何とか表現しようとした結果であると解釈する。『リチャード三世』序文で彼は「文体の欠点」の一つに言及してこう述べる。

『ハムレット』における「もつれ」について私は一八年前にたとえばこう書いた。

シェイクスピアは、ペンが想像力に追いつかなかったり、疲れていたり、あるいは単に最も劣った作家のように内容ではなく――そんなことは彼には起こらなかった――ふさわしい語や語句を探しあぐねたりして、あとで推敲、削除する必要のある箇所を執筆過程で放置することが時々あったことは間違いない。(Shakespeare 1968, p. xxxv)

「間違いない」はメタ談話標識の《確実性標識》である。一八年前のウィルソンは、ジョンソンと同様、シェイクスピアの悪文を推敲不足のせいにしていたことがわかる。しかし彼はのちに考えを変える。

今『リチャード三世』を編集してみて、もつれを別の根拠で説明したい気になっている。ここにあるすべてのものの明白な原因は、語の欠落ではなく、論理的破損、または統語的不整合と呼べるものである。いくつかの例はこの点を例示するだろう。バッキンガムは死の床の王の枕もとで女王との同盟を明言してこのように語る（二・一・三二―五）：

バッキンガムがお妃に憎しみを向けるなら、しかし忠実なすべての愛であなたとあなたのご家族をいつくしむなら、私が愛を最も期待するところで憎しみをもって神が私を罰するように。

アーデン版の編者ハミルトン・トンプソンは、ここでの問題が「意味が反対の二つの強い断言を一続きの文に結び付けようとする試みから」生じていると正しく説明している。(ibid., pp. xxxv-xxxvi)

シェイクスピアの条件文の二つの条件節の連結に、「憎しみ」と「愛」という相反する感情を同時にバッキンガムに帰属させるという「もつれ」を見るトンプソンにウィルソンは同意する。そしてここでの症状を「論理的破損、または統語的不整合」と診断したうえで、その発生メカニズムをこう説明する。

これらのケースすべてにあるのは、詩的力量・能力の欠如でも正しい語の暗中模索でもなく、考えとイメージ（両者は一つである）が流暢に急速にほとばしるので、それを伝える速度を持つ論理的・統語的枠組みを立てることが時折できなかった精神であることに注意するがよい。(ibid., p. xxxvi)

「注意するがよい」はメタ談話標識の《読者への呼びかけ》、「なく」はポリフォニー標識の《否定》である。とりあえず語を選び、後で推敲するつもりだったのではなく、表現内容自体が錯綜し、もつれたものだったので、それに適合した表現形式は論理的・統語的に不整合な文たらざるをえなかった、いくら時間をかけて推敲しても直しようのない本性の表現だった、というのがウィルソンの考えである。ジョンソンがシェイクスピアにはないといった「事柄に対する語の同等性」を、ウィルソンはあると言う。これを読者が正しく理解すれば、当初欠点と見えたものが欠点ではなくなるという趣旨であるから、言語行為としては《説明》にあたる。

第16章　不出来

不出来であることは、前章で扱った悪文であることと必ずしも一致しない。いかに読みにくかろうと、立派な文学作品はいくらでも存在するし、逆に読みやすくとも、とても芸術作品としては高く評価できない、あるいはそもそも芸術作品ではない文章もあるからである。ここでは芸術作品として出来が悪いという問題を扱う。

さて、出来の悪い子ほどかわいいからか、著者たちはこの訴因でも熱弁をふるっている。会心作でないと本心から思っている場合もあろう。自分としては会心作という自信はあるが、謙遜の決まり文句や韜晦趣味からそうする場合もあろう。不出来だと読者に思われるかもしれないという不安にかられ、読者の期待水準をあらかじめ下げておこうという下心による場合もあろう。いずれにせよ会心作、自信作としてではなく、わけあり商品として評価してほしいという懇願である。

執筆時の悪条件

序文で不出来について述べる場合、一番多いのは執筆時の悪条件への言及である。それらは、不出来なのは認めるが、避けがたかったと主張する点で、言語行為の《弁明》である。また、それを周囲の状況、執筆環境などのせいにする点で、伝統レトリックの《転送論法》である。不幸で、不運で、悲惨で、苦しい状況へのこのアピールは、作品の不出来の《弁明》になると同時に、著者自身に対する同情を喚起することもできる、一石二鳥の効果を持つ。

言及される悪条件は単独のこともあれば、複合的であることもある。単独の条件には作者の死、無教育、若年、戦争、追放、傷病、時間不足、疲労、資料不足、貧困、注文主からの要求などがある。死は執筆にとって文字通り〈致命的〉だろう。それによって推敲ができなくなったと述べるのは、二四歳で夭折したメアリー・リーパーの『折々の詩』第一巻の巻頭に置かれた（リーパーとは別の人の手による）「読者へ」である。

以下の詩の著者は、それを印刷するよう勧められ始めたとき世を去った。そしてその末後の願いにしたがって、その父親のためにいま出版される。予約者たちから与えられた好意に対して、ささやかな感謝をこの機会に返すことを父親は望んでいるから。(Leapor 1748, A2r.)

出版を勧め、実際に出版を実現したのは友人のブリジット・フリーマントルだが、編者と序文著者は彼女ではないかもしれない。いずれにせよ作者のリーパーがすでに亡くなっていることを告げている。

予約の提案と共に与えられたミセス・リーパーについての短い説明は、この詩集に見つかるであろう欠点を十分に弁明するだろうことが望まれる。支援のない若い天才のこれら最初の所産を修正し、完成させるまで著者が生きながらえていたなら、確かに大きく改善されていただろう。もっとも、手を加えない単純さにおいて現れるとき、快い喜びを読者に与え、詩人は生まれるのであって、作られるのではない[1]ということわざの説得的な証拠となるに違いない。
(ibid.)

見いだされるであろう諸欠点の原因である作者の死は、避けがたい状況であるから、序文著者も書いている通り言語行為の《弁明》である。「望まれる」はメタ談話標識の《発語内行為標識》、「詩人は生まれるのであって、作られるのではない」は著者も書いている通りポリフォニー標識の《ことわざ》である。

無教育を理由とする人もいる。アメリア・ブリストウは『リサウの孤児』の序文でこう書いている。

文体に欠陥があることについては著者は弁明しない。それは教育がおろそかにされたことの結果だから。(Bristow 1830, p. ii)

しかし無教育によって不出来自体を釈明しても、そもそも不出来なものをなぜ出版するのかという第二弾の攻撃が予想されることもある。カナダの作家アンドルー・リアモント・スピドン(一八三一一八四年）の『カナダの森の物語』（一八六一年）の序文にはこうある。

いま出版された私の小さなこの子には長所が何もない。名声を期待するのは厚かましいだろう。私は学識ある著者、あるいは経験を積んだ著者として世に出るのではない。文学を修め、知性の向上を進める暇と余裕は私の境遇にはなかった。そして私は今も不完全な教育による辛苦にあえいでいる。だったらなぜ出版するのかと問われるだろう。それに対して私は「他のどんな商品でも製造、販売する正当な権利があるように、誰でも無害な本を執筆、出版する十分な権利を持っている」と答える。(Spedon 1861, pp. iii-iv)

弁明が必要な書物などそもそも書くな、出すなというのは、不出来に限らず、本書で扱うすべての訴因について成り立ちうる批判だが（たとえば猥褻な書物には出版しないという選択肢があることは第8章冒頭で述べたとおりである）、法律を盾に正面からそれに答えた珍しい例である。「なかった」はポリフォニー標識の《否定》、「答える」はメタ談話標識の《発語内行為標識》である。

不出来なのは若年ゆえだと主張する人もいる。著者名として「エリザベス・トッド」と記された『キャロライン・リヴァーズ嬢の伝記』（一七八八年）の「女性読者へ」に例がある。

以下の頁には確かに多くの誤りが発見されるだろう。しかし年少ゆえの未熟さのせいだと読者が好意的に取ってくれるという希望で私は勇気づけられる。なぜなら一七歳の者が何年も研鑽してきた人びとと同じくらい正しい文体で第一作を書けるとは公正な読者はよもや誰も思わないだろうから。（Todd 1788, pp. v-vi）

「確かに」はポリフォニー標識の《確認》、「しかし」は同じくポリフォニー標識の《譲歩》、「読者が好意的に取ってくれる」と「公正な読者」は《直接的に特徴づけられた読者》である。

そうかと思うと、みだらな詩の著作年代を実際よりさかのぼらせ、若気の過ちのせいにする人もいる。中世フランスの詩人ピエール・ド・ブロワ（一一三五頃―一二一二年頃）は、恋愛詩を送ってほしいと友人から頼まれて、こう書き添えて別の詩を送っている。

青春の恋愛詩、青春期の娯楽をお望みですが、思慮あることとは思われません。そんなものは情欲をかきたて、はぐくむのが普通ですから。したがって、かなりみだらな歌は省いて、もっと成熟した文体で歌ったものをすこしあなたに送ります。（Blois 1855, Col. 172）

自分の恋愛詩は未熟な時期のものだとしているが、しかし実際はそう若いころの作でもなかったらしい。

戦争も悪条件の一つとなる。オウィディウスの訳者シモン・ハイネマン（一七六二―九六年）がギムナジウムの校長をしていたドイツのシュパイエルは、革命期からナポレオン時代までフランスに占領され、苦しい状況にあった。財産の接収は個人だけでなく、ギムナジウムにも及んだであろう。そのせいかどうかはわからないが、ハイネマンはこの翻訳が出版される一七九七年の前年に没している。その序文は、翻訳の欠点は自分の住むところにフランス軍が侵攻してきたせいだから、大目に見てくれと読者に願っている。

欠点のない翻訳であることを大いに望んだが、しかし自分の仕事の不完全さは確信しているので、設定した目標を達成したと考えることはできない。私がこの翻訳の仕事をしたのは、住んでいた地域にフランス人があふれ、悪名高き徴発隊が私と同胞から財産を奪い、恐れとおののきで心を満たし、以前は裕福だった市民を暴力で落ちぶれさせた時期だった。それはドイツとのつながりなしに、祖国の文学をまったく知らずにいた時期だった。これらの状況がもしかするとこの翻訳をぶざまにしている欠点を弁明し、私に好意的な判定を得させてくれることを望む。
(Heynemann 1797, S. v-vi)

避けがたい状況ゆえの不出来なので、本人も言っている通り《弁明》という言語行為である。「しかし」はポリフォニー標識の《譲歩》、「悪名高き」はメタ談話標識の《態度的形容詞》、「もしかすると」はメタ談話標識の《ヘッジ》、「望む」はメタ談話標識の《認知動詞》である。

著者が徴兵される場合はもっと深刻だろう。松村益二（一九一三―八四年）の『一等兵戦死』（一九三八年）の「著者のメモ」に例がある。

この本の原稿はバラ〳〵のまゝ春秋社に送られた。僕の再度の応召のためである。したがつて未発表の原稿など生《なま》のまゝで、めちやく〳〵な文章である。あれやこれやと筆を加へたいのだつたがやむを得ない。——ただ、僕の支那事変《〔ママ〕》の記念品としては、これはいゝのかも知れないけれど。

（松村 一九三八、二頁）

「加へたい」は態度を表す助動詞、「かも知れない」は《ヘッジ》、いずれもメタ談話標識である。

悪条件として追放を挙げているのは、イギリスの医師サミュエル・ガース（一六六一―一七一九年）が訳したオウィディウス『変身物語』の序文である。

模倣不能な美点の限りない多様性が現れているのに、劣化した判断力が道を踏み外したことによるよりは、むしろ修正する時間と機会がなかったことによるような欠点に厳しくするとしたら、あまりに無慈悲で陰険だと認めなければならない。（Garth 1812, p. 6）

ガースはこの引用に続けて、できることなら『変身物語』を推敲したいがそれができないというオウィディウスの『悲しみの歌』第一巻第六歌（現代の版では第七歌）の言葉を引いている。『悲しみの歌』は皇帝アウグストゥスの命で追放された辺地トミスで書かれたので、推敲ができない原因が追放であることは容易に推察できる。おそらく慣れない土地での生活ゆえ「修正」の「時間」がとれず、自作を読み聞かせる友人たちも参照すべき書物もないので推敲する気力も湧かなかっただろう。つまりこの翻訳者は不出来な点を詩人自身の能力ではなく外的な悪条件に帰している。なお、「模倣不能な美点の限りない多様性が現れているのに」という語句は、欠点を凌駕する美点があるという含意を持つから、伝統レトリックの《比較論法》である。

傷病が持ち出されることもある。事故で失明したイギリスの詩人ジョン・スタッグ（一七七〇—一八二三年）は『北の吟遊詩人』（一八一〇年）の「序文による謝罪」冒頭で、

視力喪失によって本書の執筆、推敲、改版に正確な注意を払うことができなかったので、清書でも印刷でも多くの誤りにどうしても気づけなかったのは確かである。しかし私が戦わねばならなかった無数の難儀を公正で好意的な読者が考慮してくれるなら、気づくに違いない多くの欠点をためらわずに許し、見逃してくれるだろうと思う。(Stagg 1810, n. p.)

と述べている。「しかし」はポリフォニー標識の《譲歩》、「公正で好意的な読者」は《直接的に特徴づけられた読者》である。

病気を理由にする人もいる。イギリスの弁護士エドワード・グルバーン（一七八七—一八六八年）は『流行の追求』（一八一〇年）の序文で、

本書の印刷全体に現れる誤りについて謝罪せずには序文を終えることができない。印刷の校正に綿密な注意を払うべきだったのに、病気とかなりの不安障害のせいでそれができなかったとだ

け、情状を酌量してもらうために述べよう。(Goulburn 1810, p. viii)

と、誤植は病気のせいだと謝罪している。「謝罪せず」と「述べよう」はメタ談話標識の《発語内行為標識》である。

推敲する時間がなかったと言い立てる人もいる。スタティウスの『シルウァエ』を構成する詩はそれぞれの機会に合わせて短時間で作られ、そのたびごとにパトロンの前で朗読された。しかしそれらをまとめて一般読者向けに出版するに際して彼は第一巻の序文でこう書いている。

突然の熱気とすばやく書くことの一種の快楽によって生まれ、私の胸から出てくるたびごとに一つずつ集めた本書を、世に送り出すかどうか私自身長い間大いにまよった。

短時間で一気に書き上げることはそれなりに快い作業だったが、それを一般読者に公開することについては「大いにまよった」と告白している。そして理由を述べる。

パトロン以外の人びとでは寛大な容赦の多くが失われるに違いない。というのもそれが持っていた即興という唯一の魅力を失うだろうから。なぜなら二日以上かかったものはないし、いくつかは一日で流れ出たからである。その詩がそれをみずから示してしまうことをいかに私が恐れていることか。

アレクサンドリア図書館の文献学者カリマコス（前三一〇頃―前二四〇年頃）が徹底的な推敲を詩に要請し、ホラティウスもそれを勧めていたので、詩というものは十分に時間をかけて推敲されたものであるというのが一般読者の通念であり、『シルウァエ』はそれに対する侵犯とみられる「恐れ」がここで表明されている。その不利益を避けるために、期限までの限られた時間で作られた詩であるとことわることによって読者の態度を軟化させ、批評家の舌鋒をやわらげようとする機能を持つ序文である。

イギリスの小説家ジョージ・ヘンリー・ボロー（一八〇三―八一年）は『ジンカリ――スペインのロマの記録』（一八四一年）の序文で、本業の合間に書き、推敲する時間がなかったという理由で寛大な評価を求めている。

著者があえて本書を公衆に提示することには、多少気後れする。
その大部分はきわめて特殊な状況で書かれた。つまり文筆には一般に都合がよくないと考えられる状況である。かなり間隔が開き、スペインで過ごした約五年の間――もっと大事な仕事から引き離された時間に――主に店と宿屋でである。……
このような原因でその書がいくらかばらばらで、つながりがなく、文体が粗野で洗練を欠いていることを著者は知っている。しかし多くの効果的な修正を引き続き行うには時間が少なすぎたので、木を切り倒したところにそのままにしておいた。(Borrow 1841, p. vii)

「気後れする」は文字通りポライトネス表現の《気後れ》である。「しかし」はポリフォニー標識の《譲歩》である。欠点が多いという他者の声に、それはやむを得ない事情によるという自分の声を重ねている。

しかし時間不足によって不出来自体を釈明しても、そもそも不出来なものをなぜ出版するのかという第二弾の攻撃が予想されることもある。アメリカの作家ジョセフ・グローヴァー・ボールドウィン（一八一五―六四年）は『アラバマ州とミシシッピ州のフラッシュタイム』（一八五三年）の序文で、多くの欠点についての弁明として、急いで書いたとか、公務の合間をぬって書いたとか、推敲の時間がなかったなどと言いたくなるが、

しかしそういう弁明に対して「うまく書く時間がなかったのなら、そもそもなぜ書いたのか。誰があなたに強いたのか。客人に会う装いが整わないのに、なぜ招かれてもいないのに人びとの前に出るのか。少なくとも人前に出るのにふさわしくなるまで待てないのか」という返答が待ってましたとばかりに来ると著者は予想した。(Baldwin 1854, p. vi)

と書き、ひどい身なりでやってきたことの弁明として、王に会いたいという熱意を挙げるフォルスタッフ（シェイクスピア『ヘンリー四世　第二部』）のように、人びとに一刻も早く読んでもらいたいという熱意で著作の不出来を弁明したいのだが、それは有効ではないとして「この厄介な問いには答える

すべがないことを白状する」(ibid.) と書く。無教育のところで挙げたスピドンは法律論でこの攻撃に対抗していたが、そこまで根性の太くないボールドウィンはあっさり白旗を掲げている。「予想した」は伝統レトリックの《予防論法》を直接表示する語、「白状する」はメタ談話標識の《発語内行為標識》である。

時間のなさと関連するが、疲労を理由にする人もいる。アメリカの小説家エドガー・ワトソン・ハウ（一八五三―一九三七年）は『ある田舎町の物語』（一八八二年）の序文冒頭で、昼間の重労働のあとでの執筆だったことで、多数の欠点を釈明している。

その仕事をするあいだ私はいつも疲れていた。そして夜の仕事を終えたあと、いつも不満足だった。私はこれを多くの欠点についての弁明として提示するが、それに見合う寛容さに出会うことを望むばかりである。(Howe 1883, n. p.)

「弁明」はここでの言語行為をストレートに表している。「望む」はメタ談話標識の《発語内行為標識》である。

資料不足を言い立てる人もいる。カナダの弁護士・著作家フレデリック・グリフィン（一七九八―一八七九年）は『ジュニアスの正体』（一八五四年）の序文で、参考文献が十分参照されていないことの言い訳としてこう述べている。

私は生地から書いているのだが、そこには公共図書館がない。そして私がアクセスした少数の私設図書館は貧弱で使い物にならなかった。(Griffin 1854, p. iv)

貧困で弁明する人もいる。イギリスの詩人・劇作家トーマス・シャドウェル（一六四二頃―一六九二年）は喜劇『科学者大先生』（一六七六年）にあるニューカッスル公ウィリアムに宛てた献辞で、低所得なので副業をしなければならないと嘆いている。

この劇の制作には非常に多くの欠点があることを私は知らないわけではない。しかし私は（劇場以外に収入はないが、欠点のない喜劇が要求する多くの苦労に十分見合う額を支払う意志か能力が劇場にはないので）すべての時間を劇の執筆にあてることはできず、金になる他の仕事に励まざるを得ない。（同じくらいの金と時間があったなら）私はたぶん他の同時代人と同じくらい欠点がない喜劇を書けるかもしれない。しかし、その欠点にもかかわらず貴殿が本作を受け入れてくださることを希望する。(Shadwell 1691, A2v.)

「しかし」と「にもかかわらず」はポリフォニー標識の《譲歩》、「できず」はポリフォニー標識の《否定》、「励まざるを得ない」はメタ談話標識の《義務動詞》、「書けるかもしれない」はメタ談話標識の《ヘッジ》、「希望する」はメタ談話標識の《発語内行為標識》である。

本邦にも例がある。谷崎潤一郎（一八八六―一九六五年）は『甍』（一九一四年）の序文でこう書いている。

予はいつにても自由に学び、自由に遊び得る程の時と金とを望む心、此の頃に至りて殊に切なり。今日の境遇にありてよき創作を成さん事まことに難し。予は貴族の家に生れざりしを悔い、富豪の子弟たらざりしを怨むなり。（谷崎　一九一四、三—四頁）

「悔い」、「怨む」はメタ談話標識の《認知動詞》である。

出来の悪さを注文主の要求のせいにする人もいる。船山馨（一九一四—八一年）の新聞小説『雨季』（一九四八年）の「まへがき」に例がある。

それに、連載中、新聞社からのもつと調子を下げてほしいといつた風の注文が頻繁でわずらはしく、たうてい、この後百回も書きつづける気持になれなかつたせゐもある。いま読みかへしてみても、かなり文章の密度にむらがあり、新聞社からのそんな注文のたびに、初めての経験だけに気を腐らせ通してゐた当時のいやな記憶が甦つてきて、あまりいい気持がしない。営業部関係からの注文に妥協しなければならないやうな新聞小説は、これにこりて決して書かないことにしてゐる。（船山　一九四八、一—二頁）

「いやな」、「いい気持がしない」はメタ談話標識の《態度的形容詞》である。

悪条件はしばしば連れだって現れる。若年と家庭的不幸を挙げているのはイザベラ・ケリーの『詩・寓話集』序文である。

作品が印刷されて一般に公開されると、批評の手から花輪を受け取るか、鞭うたれるかを予期しなければならないことを、これらの詩の著者は知っている。そして親のひいき目でもその子が花輪でたたえられるとはほとんど期待できないけれども、生まれた状況は著者に鞭を免れさせるだろうという期待はしている。(Isabella Kelly 1794, p. iii)

「けれども」はポリフォニー標識の《譲歩》、「期待はしている」はメタ談話標識の《発語内行為標識》である。不出来であることは認めつつ、状況のせいだと主張している。これは言語行為の《弁明》である。続く文章では、状況とは若年ゆえの未熟と家族の不幸、不運であると記述している。

いくつかの部分は著者が一四歳になる前に書かれた。そしてそのほかの部分は家庭内のさまざまな不運と、子供、妻、母に固有の感情の圧迫下で書かれた。というのも、父は権力の冷酷な手で傷つけられ、弾圧され、夫は世襲の保護権を無視され、かわいい子供は早死にしたからである。それらの大部分が単に個人的状況によるものであり、したがって関係者にしか理解されえないことは著者も認める。(ibid., pp. iii-iv)

一般には正しいと判断されないというのは、これが《正当化》でなく《弁明》であることを再確認させる。

病気と貧困を挙げるのはイギリスの詩人・小説家シャーロット・スミスが『消えた男』（一七九四年）に付けた序文である。

> 今私が読者に提供する著作は非常に不利な状況で書かれた。そして小説のようなくだらない文章の欠点についての弁明として、ジョンスン博士がその偉大な労作について用いた表現を引用してよいなら、それらの欠点に対する弁明として正当にこう弁じよう。それは不自由と集中できない状況、病気と悲しみのうちに書かれたのだ！　長い不安が私の健康を損ね、長い迫害が私の精神を打ち砕いた。多くの家族の必要物をほとんどすべて私自身の労働によってまかなうことを強いられた一〇年以上（人の一生のかなりの部分）の末に、である。(Smith 1795, pp. v-vi)

すこし経った『マーチモント』（一七九六年）の序文にはこうある。

> 私は小説と呼ばれるものの執筆に（好きでというわけではなく必要に迫られて）八年間携わってきた。そして私の三二番目の本は今大衆の前にある。法律を自慢している国でかつて行われ、経験された最も重い（そして今や最も救済不可能な）迫害のもとで苦労していた間の私の家族と私の生活費は、それらから得られた金銭的利益に負っている。しかし不断の労働によって私が生き延び

> てきたにもかかわらず、私と私の子供たちに行われた強奪は致命的だった。そして女性がめったに出会わないような困難と苦しみに一二年間抵抗した後、一つの恐ろしい災難が私に襲いかかった。そして私をほとんど打ち負かした――私の生涯の最も大きな祝福であり、私の疲れ切った心を癒し、私のつらい時間を慰める力を唯一持っていた愛する者が私から永遠に奪われてしまったのだ。そしてこの最後の最もひどい不幸を私は永遠にわれわれの無慈悲な迫害者たちの行為のせいにするだろう。(Smith 1796, pp. vi-vii)

死別が新たに加わっている。愛娘アンナ・オーガスタがその間になくなっているので、その反映であろう。

> もしそのとき序文を書くことができたなら、『モンタルバート』の欠点に対するこの弁明は場を得ていただろう。しかしこのような状況で書かれた本にその機会が与えられないなどということはあり得ない寛恕をそのときには求めることができなかった。(ibid., p. ix)

一つ前の引用で記述された窮状は、それが付けられた『マーチモント』ではなく、一年前に出版された『モンタルバート』(一七九五年)の欠点についての弁明だが、『モンタルバート』の序文には間に合わなかったので、次作でさかのぼって弁明していることがわかる。

若さと無教育を挙げるのは、スーキー・ヴィッカリーの『エミリー・ハミルトン』序文である。

確かに多くの欠点が発見されるだろう。私の若さと貧しい教育がその弁明とならなければならない。(Vickery 1803, p. iii)

「確かに」はメタ談話標識の《確実性標識》、「ならなければならない」はメタ談話標識の《義務動詞》である。

アメリカの小説家エマ・ドロシー・エリザ・サウスワース（一八一九―九九年）は『妻の勝利、その他の短編』（一八五四年）の序文で多数の悪条件を挙げている。

本書に収められた諸短編は著者のペンによるまさに最初の所産である――それも病気、窮乏、苦労、悲しみのただなかで書かれた――ことが、その多くの不完全さの弁解である。けれども、それらがあたたかく迎えられ、文学雑誌、キリスト教雑誌に広く再録されたこと、そして本の形での公刊が要請されたことが、いまこうして一つにまとめて公開することの弁明である。(Southworth 1854, p. 27)

執筆が最初ということは未熟さのアピールとみられる。他に「病気、窮乏、苦労、悲しみ」を挙げて、その「不完全さ」の弁明としている。後半の、不完全さにもかかわらず公刊するのは他者にうながされてというのは、ポライトネスの《気後れ》である。生涯に六〇篇以上の小説を発表することになる人でも、最初の出版というものは緊張するらしい。

複数の弁明を挙げたうえで、好きなものをどれでも選んでくださいと読者に丸投げしているのは、アイルランドの劇作家ジョージ・ファーカー（一六七七―一七〇七年）である（『コヴェント・ガーデンの冒険』（一六九九年）の「読者へ」）。

おそらく批評家たちは、時間の統一〔という規則〕を破ったことで私に苦情を言うでしょう。というのも英雄詩が一二ヵ月の範囲に制限されなければならないなら、比例の法則にしたがって小説は一ヵ月に制限されるべきだからだ（と彼らは言います）。しかし、私は十分に弁護することができます。もしかするとこれを書いたとき私は非常に若かったか、病気の発作から回復しつつあった。ことによると私はずいぶん年を取っていて、大厄年に近かった。もしかすると私は大急ぎで書いたか、私の最初の作品だった。

さて、皆さま、最もファッショナブルなこれらの弁明のうちから精選していただけるのですから、ご満足いただけないとしたら、私の頭はまともでないことになります。(Farquhar 1699, A5r.-v.)

不出来についての弁明から真剣さを戯れという手法で奪うことによって、その弁明の相方である告発をも茶化すという戦術である。メタ談話標識の多用（傍線部）が目立つ。

《適合》

執筆時の悪条件ではなく、《適合》によって不出来が説明されることもある。これには登場人物に関する《適合》と読者との《適合》がある。前者に属するものとしては、まず登場人物の言葉とその状況の《適合》がある。フランスの小説家・詩人シャーロット・ローズ・ド・コモン（一六五四―一七二四年）の『ブルゴーニュ秘史』（一六九四年）の英訳の序文――原著には序文がないので、匿名の訳者による序文だろう――がその例である。

> 私が自作であるとするつもりだったなら、あるいはむしろこれほど高貴なパトロネスにそれを献上するつもりだったなら、たぶん私はもう少し受容に配慮すべきだったろう。私がそうすべきだった点が少なくとも一つある。それは一五四頁以下にある詩である。しかしその詩についての申し開きとしてこれだけは言わなければならない。それは即興で書かれたという設定なので、そのように私は書いた。それをもっとよどみない、もっとよいものにすることはたやすかっただろう。しかし苦労のあとが見えれば、自然さは失われていたに違いないと思う。なぜなら、本職の詩人ではないこれらの貴人、淑女が、書こうとしていることについて二分も考えなかったという設定下で、この機会によい詩節を書くと考えるのは、どれほど滑稽であることか。（Charlotte Rose de Caumont 1723, pp. ix-x）

つたない詩についての二つの言い訳がある。一つは、執筆時には受容に配慮する必要はなかったので、つたない文でもよいと考えたというものである。状況のせいにしているから、伝統レトリックの《転送論法》である。もう一つは登場人物とその状況の《適合》である。つまり詩人でもない素人が即興で書いたという設定の詩は、稚拙であるほうがむしろ自然であるというわけである。事情を理解すれば、悪いとは判断されなくなるということなので、《説明》という言語行為にあたる。二つの「なら」と「見えれば」はポリフォニー標識の《条件文》、「たぶん」はメタ談話標識の《ヘッジ》、「べきだった」、「言わなければならない」、「違いない」はメタ談話標識の《義務動詞》、「思う」はメタ談話標識の《認知動詞》、「滑稽である」はメタ談話標識の《態度的形容詞》である。

　登場人物と他の登場人物の《適合》が持ち出される例としてはイタリアの著作家ジョバンニ・パオロ・マラーナ（一六四二―九三年）の書簡体小説『トルコのスパイが書いた第五の書簡』の「読者へ」がある。そこでは書簡の書きぶりに対する攻撃を予想し、こう弁明している。

> 彼〔アラビア人〕のいい加減さ、無頓着さ、定見のなさにあきれる人もいるだろう。というのも、いくつかの手紙では彼は大いなる懐疑論者であるように見え、自身そう公言しているからである。
>
> 　そう非難する人びとは、彼の文体と感情は書く相手の質に合わされていると考えるべきである。親しい友人には彼はきわめて率直に胸の内を打ち明ける。しかし宗教指導者や他の政府高官宛てのときは慎重で控えめなのである。(Marana 1707, A3v.)

ぞんざいな書き方のほうが、気が置けない相手との《適合》が実現されている、という論法である。「べきである」というメタ談話標識の《義務動詞》が現れている。

読者との《適合》が持ち出される場合もある。ドイツの詩人シドニア・ヘドヴィッヒ・ツォイネマン（一七一一―四〇年）は『バラのつぼみのような詩』（一七三八年）の序文で「庭園では満開のバラだけでなく、まだつぼみのままで、花弁がいくつか出ているだけのバラも手折られるように、完全な開花にまだ達していないバラのつぼみであるこんな詩を学識ある読者に公開しても、無思慮なことをしたとは思いません」(Zäunemann 1738, 1. Abs.) と、未熟なものも求める読者の性向に合わせたと言って不出来を正当化している。「思いません」はポリフォニー標識の《否定》である。

庶民は高い文学的価値でなく娯楽を求めると言う例も、ここに分類できよう。イギリスの作家トマス・ダーフィー（一六五三―一七二三年）は『バトラーのゴースト――ヒューディブラス第四部』（一六八二年）の「公正な読者へ」でこう述べている。

> 不滅のジョンソンやシェイクスピアに匹敵しえないなら誰も劇を書いてはならず、比類なきカウリーやドライデンのライバルでなかったなら、誰も英雄詩を書いてはならないとしたら、町は劇と詩の気晴らしを失ってしまうだろう。(D'Urfey 1682, n. p.)

全体がポリフォニー標識の《条件文》である。

課題の困難さ

課題の困難さで弁明する人もいる。イギリスの小説家マリア・エッジワース（一七六八―一八四九年）は『物語と小説』の第一巻（一八四八年）序文でこの手を使っている。

物語を創作するだけでも人間の知力にはきつい仕事であるとジョンソンはどこかで言った。まして若年向きで、しかも現代社会の複雑な諸関係に合った物語――若い読者を悪の道に誘わずに徳の例を示すフィクション、退屈な細部や低俗な言葉なしに若者の能力に見合った文体で書かれた話――を構成するのはさらにどれほど難しいことか。著者はこれらの難しさを知っているので、警戒の目を逃れたような誤りに対する寛恕を嘆願する。（Edgeworth 1848, p. iii）

全体の構造は課題の難しさという「もの」への《転送論法》（伝統レトリック）である。「まして」は伝統レトリックの《対比暗示推論法》、「嘆願する」はメタ談話標識の《発語内行為標識》である。

執筆能力、執筆態度、執筆目的

いままでの弁明が著者の外側のものに関わるのに対して、著者自身のあり方――執筆の能力、態度、目的――に関わるものもある。

執筆能力を挙げる例としてはイギリスの詩人スティーブン・ダック（一七〇五頃―五六年）の『折々の詩』（一七三六年）序文がある。

本書のもろもろの欠点を大目に見てもらうよう読者を説得したいもう一つの動機は、本書で一番古い詩は六年ちょっと前の作であるが……その頃はラテン語がまったく読めなかったということである。(Duck 1764, p. xii)

模範としたホラティウスを十分模倣するのに必要なラテン語能力のなさに欠点を帰している。同じく言語運用能力上の問題を挙げるのは、『サンドヴァル、またはフリーメーソン』(一八二六年)の序文におけるスペインの作家バレンティン・ラノス・グティエレス(一七九五―一八八五年)である。

執筆中に戦わなければならなかった困難に鑑みると、著者は何らかの種類の弁明が要らないほど目標を達成したという望みを持つことはできない。

第一に、本書が含む主題の多様性に対応するには文体の正しさ、優雅な表現、会話の言い回しの厳格さが必要だが、それらを示すことができるほど十分には習熟していない外国語で書くという仕事は、著者以上に言語に通じた人にとってすら常に骨が折れるものである。(Gutiérrez 1826, pp. iii-iv)

「とってすら」は伝統レトリックの《対比暗示推論法》である。

著者の執筆態度に問題ありと言う場合もある。イギリスの作家デーヴィッド・ウィリアム・ペインター（一七九一―一八二三年）の『ゴッドフリー・レーンジャー』（一八一三年）の出版者序文に例がある。

作品全体で最も弱く、活気も実質もない章は、少なくとも私の判断では、第一巻の第四、第五、第六章である。しかし、それらですら若い読者はある程度満足して読むだろうと私は思う。われわれの著者が慌てて、そして私の誤りでなければいくつかの箇所では無造作に書いたのは明らかである。しかし著者を非難する口実をうるさがたに与えないために、私はこれ以上のすべての不利な論評を控え、公平な読者が自分で判断するのにまかせよう。(Paynter 1813, pp. iv-v)

中央部の「われわれの」で始まる一文が不出来についての説明である。著者自身が〈私は慌てて、無造作に書きました〉と言うのはさすがに抵抗があるだろうが、出版者は著者から距離をとって〈手抜き〉だと〈公平、客観的〉に言えるらしい。「思う」はメタ談話標識の《認知動詞》、「明らかである」はメタ談話標識の《確実性標識》、「しかし」はポリフォニー標識の《譲歩》、「公平な読者」は《直接的に特徴づけられた読者》、「読者が自分で判断するのにまかせよう」は伝統レトリックの《一任論法》である。

執筆目的が高い文学的価値の実現以外にあるので、出来の悪さはそれによると言う人もいる。そういう目的には読者のため、著者のため、その双方のため、第三者のためというものがある。

著者、読者双方のためとしているのは、オーストラリアの小説家マーカス・クラーク（一八四六―八一年）で、『ペリパトス派の哲学者』（一八六九年）の序文で、こんなひどい本をなぜ出すのかという世間からの攻撃を予想して、こう答えている。

「高い道徳的目的を目指している」から本書を出すのではない。「友人たちの要請」で出すのでもない。「会員限定頒布で」出すのでもない。「世間が長年にわたって切実に要求してきたものを供給すると思う」から出すのですらない。よく売れると思うから出すだけのことだ。（Clarke 1869, p. vi)

「よく売れ」れば売り手には金が入り、買い手は読みたい本を手に入れられるからウィンウィンだと、弁明の典型的常套句を《否定》というポリフォニー標識でしりぞけつつ述べている。

読者のためというものとしては、たとえば松山高（生没年不明）の童話『銀の玉』冒頭の「世の親達に」がある。

この書の物語は、必ずしも文芸作品として価値あるものではありません。それは著者の願ふところではないのです。（松山 一九四八、頁番号なし）

児童書のジャンルは児童の教育を目的とするから、必ずしも高い文学的価値を目指す必要はないという論拠からの弁明である。「ありません」はポリフォニー標識の《否定》、「願ふ」はメタ談話標識の《発語内行為標識》である。

読者に娯楽を提供することが目的であると言うスコットランドの軍人・作家ジョン・マーチバンクス（一七五八／五九―九六年頃）もここに分類できる。その『お遊びの詩』（一七八四年）の「一般の方々へ」を引用しよう。

私はあなた方を高邁な約束で魅惑しなかったし、あなた方の期待を高めようともしなかったことだけはお心におとどめおきください。だから偉大なもの、崇高なもの、美しいものを求めてはいけません――私は本書を軽い読み物として提供したのですから、軽い読み物として審理してください。

お読みになって、私が書くときに経験した楽しみの半分でも得られたとしたら、ご不満をいだかれる理由はないでしょう。(Marjoribanks 1784, pp. v-vi)

「魅惑しなかった」、「高めようともしなかった」はポリフォニー標識の《否定》、「軽い読み物として審理してください」は伝統レトリックの《転移の問題状況》である。

第三者のためという例としては、イギリスの詩人エドワード・コブデン（一六八四―一七六四年）の『折々の詩』（一七四八年）の序文がある。

> 私がこの取るに足りない本を送り出すことの謝罪は、それを大いに必要とし、またそれに十分値する（以前に私の教区牧師だった）聖職者の未亡人のために少しのお金を工面するという意図のものだと読者に伝えることによるしかないだろう。(Cobden 1748, p. v)

「取るに足りない本」はポライトネスの《謙譲》である。

著者のためというものには、金を稼ぐという即物的なものもあれば、快や慰めという精神的なものもある。即物的なものの例はイギリスの俳優・作家ウィリアム・ページェット（生年不明―一七五二年）の『艦隊気質』（一七四五年）の序文にある。

> 自作についての弁明を著者に期待するのが読者の習慣である。そして実際、三文文士は決して弁明なしで出版すべきではない。
>
> シェイクスピア、ミルトン、バトラー、ドライデンのような巨匠が自作のために何もする必要がないのは事実だが、凡庸な作家は人びとに迷惑をかけることについて、何らかの弁明をすべきだと思う。
>
> 私としては、四年前の『イプスウィッチへの旅』を公刊したのと同じ理由で、つまり金を稼ぐ目的で今回『艦隊気質』を公刊する。(Paget 1745, p. iii)

借金で投獄された著者は、金を稼ぐのが目的だと悪びれずに述べ、だから作品が「凡庸」であることは大目に見てくれと弁解している。

自分の快を執筆目的に挙げているのはイギリスの著作家オネスト・レンジャー（生没年不明）である。『レンジャーの進歩』（一七六〇年）の序文（Ranger 1760, pp. iv-v）で、出来が悪いものしか書けないのになぜ書くのかという攻撃を予想したうえで、他の人はゲームや飲酒を楽しむが、それらが嫌いな自分は執筆が「大きな喜び」であり、それは「犯罪ではなく、その権利がある」と答えている。さらに相手が「犯罪」という語を法律的意味から道義的意味にずらして、「不出来な書物を書くのは犯罪だ」とたたみかけてくることを予想して、「意地の悪い攻撃をするのは不出来な本を出すよりも大きな犯罪だ」と、伝統レトリックの《対抗非難》でやり返している。それにしても著者の快と読者の快が一致しないのは昔かららしい。

自分の慰み、慰めとして書いたと言う人には、出来が悪いと自認しているにもかかわらず『幸福のかげり』（一八五三年）を出版する理由を序文で説明しているイギリスの作家ドルセー伯爵夫人（一八一二―一六九年）がいる。

家族の祝福も、情熱を注げる対象もなしに二〇歳で広い世間に放り出された私は、黙想と観察の、そしてその結果として著作の習慣をやがて獲得した。沈黙と孤独のうちにあって、心の深くにある思いをありきたりの知人、名ばかりの友人に伝えるのではなく、秘密を守る紙に打ち明けるのが私には変わらない慰めだった。(D'Orsay 1855, pp. 5-6)

ドルセー伯爵との離婚による心のすきまを埋める目的だったとしている。イギリスの詩人・劇作家ソフィア・バレル（一七五三―一八〇二年）の『テュンブリアッド』（一七九三年）序文も同工である。

軍事知識や古典の教養という強みなしに弱々しいペンで書かれたこの種の作品に見られるであろう多くの誤りについての弁明なしにこの詩を公表することは著者にはできない。これは何年か前の暇な時間の慰みだった（もっとも、それ以後修正し、多少の追加を行ったけれども）。批評の目がその欠点を大目に見てくれることを著者は望む。(Burrell 1794, n. p.)

「弱々しい」はポライトネスの《謙譲》、「望む」はメタ談話標識の《発語内行為標識》である。イギリスの詩人・小説家アンナ・マリア・ポーター（一七七八―一八三二年）は小説『キラーニー湖』（一八〇四年）の序文をこう始めている。

この作品が読者に読まれる前に、それが要求するのはいかなる賞賛でもなく、気に障らないことだけであると表明させてほしい。それは異なる時期に、長い、繰り返す病気の発作に続く、けだるい時間の慰みとしてのみ書かれた。したがって、それは文学的名誉の候補として提示されたのではない。(Porter 1804, p. vii)

自分の「慰みとしてのみ書かれた」のであって、他者の高い評価を求めるたぐいのものではなかったという説明である。「いかなる賞賛でもなく」はポライトネスの《謙譲》、「なく」はポリフォニー標識の《否定》、「表明させ」は《発語内行為標識》、「提示されたのではない」はポリフォニー標識の《否定》である。そして序文をこう閉じる。

今や批評の厳しさに反論したと思う。なぜなら私は自分の凡庸さを正直に認めるし、私の作品の無価値に対する覚悟を読者にさせるから。(ibid., p. viii)

そもそも高い文学的価値を目指していないので、それを基準に判断するのはおかどちがいだという主張は、伝統レトリックの《転移の問題状況》にあたる。

枢機卿ニコラス・ワイズマンは『ファビオラ』の序文でこう書いている。

したがって、それはあらゆる種類の時間、あらゆる種類の場所で、仕事に急き立てられない朝夕に、もっと重い作業には身体が疲れすぎたり、精神が消耗しすぎたりしている細切れの時間に、道端の宿屋で、旅の停車場で、なじみのない家で、あらゆる種類の——時にはつらい——状況で書かれた。こうして少しずつ、一回の分量は十行からせいぜい六頁まで変化したが、普通は本や資料なしに執筆された。しかしいったん始めると、それが何のために行われたかがわかった——気晴らし、そしてしばしば慰め、癒しだった。それがよみがえらせた記憶、それが新たにした連想、それが結び付けた昔の勉強と以前の読書の断片的な名残りから、そして今の時代の状況よりよい時代と物事でそれがはぐくむ安らぎによってである。

なぜ読者はこれらすべてを知らされる必要があるのか。二つ理由がある。

まず、この執筆方法は作品に反映されているだろう。そして読者はそれが不統一で不調和である、あるいは部分がうまくつながっていないことに気づくだろう。もしそうなら、これは原因を説明するだろう。(Wiseman 1886, pp. vii-viii)

読者のためでなく、自分の「気晴らし、そしてしばしば慰め、癒し」のために書いたので、読者がその事情を理解すれば欠点と見えるものも欠点でないことがわかるという趣旨なので、言語行為は本人の言うとおり《説明》である。たとえ世人の評価が低くとも、あるいは世の評価が低いと著者自身は思っていても、芸術の創作は現世の桎梏から心を解き放ち、「慰め、癒し」と「安らぎ」を与えることができることを、この序文は証言している。

結　論

本書の分析が明らかにしたのは、そのレトリックに巧拙、濃淡の違いはあれど、親が子の心配をするように、本文テクストが無事であることを願う著者の気遣いがどの序文からも聞き取れることである。

確かに、攻撃に対する防衛力の点で書き言葉が話し言葉に劣っているのは事実である。プラトンは『パイドロス』でこう書いている。

書き言葉は、告発され、不当に罵倒されたときには、常に父親の助力を必要とする。なぜなら、自分だけでは自分を守ることも助けることもできないからである。（二七五E三―五）

話し言葉なら「告発」や「罵倒」に対してその場で発話者が応戦できるが、書き言葉の場合、著者と離れて独り歩きするのが本性だから、それができないのは確かである。ラファエロの《アテネの学園》（一五〇九―一〇年）のプラトンやアリストテレスよろしく、著者が自著を手にしてその場に居合わせればよいのではないかという声が聞こえてきそうだが、そういう例外的な場合でも、自著の内容や執筆状況を忘れていて、即答できないこともありうるから、話し言葉と同じというわけにもいくまい。

　けれども自分を守る鎧を著者が書き言葉に着せてやることで、この短所をある程度カバーすることはできる。攻撃を予想して対応したり、すでに行われた攻撃に対して再版以降で応答したりする序文がその鎧であることを本書は明らかにしたと思う。

　他方でまた、その防衛の声は、ケースごとに特有の音色を持っている。それは著者の思想と情念、著者を取り巻くそれぞれの状況に応じて千変万化する。それに応じて序文はその機能を変容させていく。言語の分析という手段で可能な限りではあるが、そういう多様性も明らかになったと思う。要するにパラテクストは著者と読者の多様な関係が濃密に刻み込まれたスペースなのである。

注

［序　論］

1　ジョーゼフ・バルトロメオの著作（Bartolomeo 1994）はタイトルどおり小説についての一八世紀イギリスの批評的言説を分析対象としているが、そこには小説の序文も含まれる。したがって分析対象の一部が本書と重なるが、分析の観点は異なっている。

［第1章］

1　伝統レトリックの全貌を知るには、Lausberg 1960が適している。

［第7章］

1　「しかし、いかに感受性が鋭く、寛大で、勤勉であり、ミルトンの信念について熟知していようとも、まじめなカトリック信者や無神論者が、それと同じくらいの知性と感受性を備えたミルトンの同時代人や信仰を同じくする者に楽しむことができたのと同じ程度に『失楽園』を楽しむなどということが本当にあるのだろうか」（ブース 一九九一、一八一頁）。

［第8章］

1　なお、出版前の本だけでなく出版後の本に対しても「浄化」が行われることがある。たとえば猥褻な箇所が誰か（たぶん読者）の手で黒く塗りつぶされた本を、われわれは何冊か図書館の画像データで見ることができる。

[第9章]

1　スコットランドの作家エリザベス・ハミルトン（一七五六―一八一六年）の『グレンバーニーの村人たち』は一八〇八年の公刊なので、一八一四年公刊のスコットの『ウェイヴァリー』より早い。

2　スコットランドの作家ラガンのグラント夫人（一七五五―一八三八年）の『スコットランド高地地方の迷信についての試論』は一八一一年の公刊なので、やはり『ウェイヴァリー』より早い。

[第10章]

1　G・W・F・ヘーゲル（一七七〇―一八三一年）は『美学講義』で「揺れ動き、自己分裂した登場人物ではなく、自己自身に確固としてとどまり、首尾一貫している人物が、自己自身と自分の目的を断固として固持するがゆえに破滅するという最も美しい例を与えてくれるのはシェイクスピアである。道徳的に正当化されるのではなく、自分の個性の形式的必然性にのみ支えられ、外的状況によって自分の行為へと誘われるか、あるいは盲目的に飛び込み、自分の意志の力でそこに踏みとどまる――自分のすることを実行するのが、他者に対して自分を主張する必然性だけによるにせよ、行きつくところへ行きついたからにせよ」と述べている（Hegel 1971, p. 350）。

2　ドイツの文学史家・政治史家ゲオルク・ゴットフリート・ゲルヴィーヌス（一八〇五―七一年）は、デズデモナについて「あの致命的なキプロス行きの際に父親の家――二人ともそれをきっぱり断るが――にとどまっていたならばどれほどよかっただろう」（Gervinus 1875, p. 520）と書いている。

[第12章]

1　文学に対する攻撃がソクラテス以前から現代にいたるまで延々と繰り返されてきたことをウィリアム・マルクスの『文学に対する憎悪』は明らかにしている（Marx 2018）。特に一八世紀後半から一九世紀前半にかけては小説に対して膨大な量の攻撃があったことをジョン・ティノン・テイラーが実証している（Taylor 1943）。

2　ペトロニウス『サテュリコン』五参照。「最初の幾年かは詩に捧げ、幸福な胸でマエオニアの泉を飲むように。やがてソクラテス派の教えに満ちたなら、自由に手綱をゆるめ、巨大なデーモステネースの武器をふるうがよい」。

3　古代ギリシアの哲学者エピクテトスの『要録』四三に「すべてのものは二つの取っ手を持っている。一つはつかんで持ち運べる取っ手、もう一つは持ち運べない取っ手である」という言葉がある。

［第13章］

1　ボドゥアン・ミィエは、虚偽であるという攻撃に対して一六五二―一七五四年のイギリス小説の序文が反撃する言説を分析している（Millet 2007）。

［第16章］

1　偽アクロンの名のもとに伝えられた七世紀のホラティウス注釈が初出のことわざである。厳密にいえば、詩人の成立における〈生得の才：技術の習得〉という対と、詩の制作における〈最初の着想：その後の推敲作業〉という対は必ずしも対応するものではない（推敲にも天分が、最初の着想にも技術が関与しうるだろうから）。けれども、最初の着想は天分の、推敲は技術の仕事という分業論は、たとえばバウムガルテン『美学』第九八項（バウムガルテン 二〇一六、九八頁）など、広く見られる。

文献一覧

外国語文献

About, Edmond 1859, *Tolla*, 6ème éd., Paris: L. Hachette et Cie.

Agrippa, Henricus Cornelius 1537, *De incertitudine et vanitate scientiarum*, s. n.

Almási, Gábor et Farkas Gábor Kiss 2015, *Humanistes du bassin des Carpates II: Johannes Sambucus*, Turnhout: Brepols.

Aubin, Penelope 1728, *The Strange Adventures of the Count de Vinevil and His Family*, 2nd ed., London: Printed for J. Darby, et al.

Bage, Robert 1792, *Man as He Is*, Vol. 1, London: Printed for William Lane.

Baker, James 1889, *By the Western Sea: A Summer Idyll*, London: Longmans, Green & Co.

Bakhtin, Mikhail 1984, *Problems of Dostoevsky's Poetics*, edited and translated by Caryl Emerson, Minneapolis: University of Minnesota Press.

Baldwin, Joseph Glover 1854, *The Flush Times of Alabama and Mississippi*, 7th ed., New York: D. Appleton & Co.

Banim, John 1866, *The Denounced; Or, the Last Baron of Crana*, Dublin: James Duffy.

Barber, Mary 1735, *Poems on Several Occasions*, London: Printed for C. Rivington.

Barlow, Joel 1809, *The Columbiad*, London: Printed for Richard Phillips.

Barnfield, Richard 1595, "To the Courteous Gentlemen Readers", in *Cynthia*, London: Printed for Humfrey.

Barth, Friedrich Gottlieb 1777, "Praefatio", in *Sex. Aurel. Propertius*, varietate lectionis et perpetua adnotatione illustratus a Frid. Gottl. Barthio, Lipsiae: Sumtibus Engelh. Beniam. Schwickerti.

Bartolomeo, Joseph F. 1994, *A New Species of Criticism: Eighteenth-Century Discourse on the Novel*, Newark / Cranbury: University of Delaware Press / Associated University Presses.

Baudelaire, Charles 1857, *Les Fleurs du mal*, Paris: Poulet-Malassis et de Broise.

Behn, Aphra 2009, *Oroonoko and Other Writings*, edited with an introduction and notes by Paul Salzman, Oxford: Oxford University Press.

Bell, Henry Glassford 1832, *My Old Portfolio; Or Tales and Sketches*, London: Smith, elder, and Co.

Bennett, George 1835, *The Empress*, Vol. 1, London: Smith, elder and Co.

Berkeley, George Monck 1797, *Poems*, London: Printed by J. Nichols.

Betham, Mary Matilda 1797, *Elegies and Other Small Poems*, Ipswich: Printed by W. Burrell.

Bickerstaff, Isaac 1792, *The Hypocrite*, London: Printed for the Proprietors, under the Direction of John Bell.

Blair, Hugh 1853, *Lectures on Rhetoric and Belles Lettres*, Philadelphia: Troutman & Hayes.

Blois, Pierre de 1855, *Petri Blesensis Bathoniensis in Anglia Archidiaconi Opera Omnia*, accurante J.-P. Migne, n. p.: apud J.-P. Migne.

Bohn, Henry G. 1865, "Preface", in *The Epigrams of Martial*, translated into English prose, London: Bell & Daldy.

Borrow, George 1841, *The Zincali; An Account of the Gypsies of Spain*, Vol. 1, London: John Murray.

Bourget, Paul 1893, *Le disciple*, Paris: Alphonse Lemerre.

Bowden, Samuel 1754, *Poems on Various Subjects*, Bath: Printed for the Author.

Bowdler, Jane 1786, *Poems and Essays, by a Lady Lately Deceased*, Vol. 1, Bath: Printed by R. Cruttwell.

Bowdler, Thomas 1825, *The Family Shakespeare, in Ten Volumes*, 4th ed., Vol. 1, London: Printed for Longman, et al.

Bretschneider, Karl Gottlieb 1828, *Heinrich und Antonio, oder die Proselyten der römischen und der evangelischen Kirche*, Gotha: Justus Perthes.

Bristow, Amelia 1830, *The Orphans of Lissau, and Other Interesting Narratives, Immediately Connected with Jewish Customs*, Vol. 1, London: T. Gardiner & Son.

Brome, Alexander 1668, *Songs and Other Poems*, 3rd ed. enlarged, London: Printed for Henry Brome.

Brown, Penelope and Stephen C. Levinson 1987, *Politeness: Some Universals in Language Usage*, New York: Cambridge University Press.

Browning, Elizabeth Barrett 1901, *The Complete Works of Mrs. E. B. Browning*, Vol. 1, New York: George D. Sproul.

Bulteel, John 1664, "Preface", in *Birinthea*, London: Printed for John Playfere.

Bulwer-Lytton, Edward 1853, *Harold, the Last of the Saxon Kings*, London: Chapman and Hall.

Burnaby, William 1694, "Preface", in *The Satyr of Titus Petronius Arbiter, a Roman Knight*, made English by Mr. Burnaby, London: Printed for Samuel Briscoe.

Burrell, Sophia 1794, "Preface", in *The Thymbriad (From Xenophon's Cyropædia)*, London: Sold by Leigh and Sotheby, et al.

Byrne, Francis D. 1904, "Introduction", in *The Golden Ass of Apuleius*, newly translated with introduction and notes by Francis D. Byrne, London: The Imperial Press.

Byron, George Gordon 1836, *The Complete Works of Lord Byron*, Paris: Baudry.

Cáffaro, Geraldo Magela 2017, "The Preface as Stage: the Theatrical Trope and the Performance of Authorial Identities in the Nineteenth Century", *Ilha do Desterro*, Vol. 70, No. 1 (April 2017), pp. 265-274.

Cambridge, Richard Owen 1751, *The Scribleriad: An Heroic Poem*, London: Printed for R. Dodsley.

Campbell, Ann 1828, *A Wreath of Poesy; Or Effusions of the Heart*, London: Printed for the Author.

Charlotte Rose de Caumont 1723, *The Secret History of Burgundy*, London: Printed for J. Walthoe, Jun. and T. Woodward.

Chudleigh, Mary 1710, "To the Reader", in *Essays upon Several Subjects in Prose and Verse*, London: Printed for R. Bonwicke, et al.

Clarke, Marcus Andrew Hislop 1869, *The Peripatetic Philosopher*, Melbourne: George Robertson.

Cobden, Edward 1748, *Poems on Several Occasions*, London: Printed for the Benefit of a Clergyman's Widow.

Coleridge, Samuel Taylor 1796, *Poems on Various Subjects*, London: Printed for G. G. and J. Robinsons and J. Cottle.

—— 1834, *Biographia Literaria; Or, Biographical Sketches of My Literary Life and Opinions*, New York / Boston: Leavitt, Lord & Co. / Crocker & Brewster.

—— 1853, *The Complete Works of Samuel Taylor Coleridge*, edited by W. G. T. Shedd, Vol. 7, New York: Harper & brothers.

Collins, Wilkie 1860, *The Woman in White*, 6th ed., Vol. 1, London: Sampson Low, Son, & Co.

—— 1861, *The Woman in White*, new ed., London: Chatto & Windus.

Combe, William 1780, *Letters Supposed to Have Been Written by Yorick and Eliza*, Vol. 1, Dublin: Printed for Price, et al.

Constant, Benjamin 1979, *Adolphe*, édité par Gustave Rudler, Manchester: Manchester University Press.

Cranstoun, James 1867, "Preface", in *The Poems of Valerius Catullus*, translated into English verse by James Cranstoun, Edinburgh: William P. Nimmo.

Crawley, S. Adam 2020, "Peritext as Windows, Mirrors, and Maps: LGB+ Representation in the Backmatter", *Voices from the Middle*, Vol. 28, No. 2 (December 2020), pp. 29-32.

Crespigny, Mary Champion de 1807, *Letters of Advice from a Mother to Her Son*, London: Printed for T. Cadell and W. Davies.

Dafouz-Milne, Emma 2008, "The Pragmatic Role of Textual and Interpersonal Metadiscourse Markers in the Construction and Attainment of Persuasion: A Cross-Linguistic Study of Newspaper Discourse", *Journal of Pragmatics*, Vol. 40, Issue 1 (January 2008), pp. 95-113.

Defoe, Daniel 1790, *The Life and Strange Surprizing Adventures of Robinson Crusoe, of York, Mariner*, Vol. 1, London: Printed for John Stockdale.

—— 1840, *The Fortunes and Misfortunes of the Famous Moll Flanders*, Oxford: Printed for Thomas Tegg.

Dixon, Sarah 1740, "The Preface", in *Poems on Several Occasions*, Canterbury: Printed by J. Abree.

Döring, Friedrich Wilhelm 1788, "Praefatio", in *C. Valerii Catulli Carmina*, varietate lectionis et perpetua adnotatione illustrata a Frid. Guil. Doering, Tomus 1, Lipsiae: apud Christ. Gottl. Hilscher.

D'Orsay, Countess Harriet 1855, *Clouded Happiness*, London: James Vizetelly and Henry Vizetelly.

Dozois, Gardner R. 2001, "Author's Preface", in *Strange Days: Fabulous Journeys with Gardner Dozois,* Framingham: Nesfa Press.

Dryden, John 1735, "Preface", in *An Evening's Love: or, The Mock-Astrologer,* London: Printed for Jacob Tonson.

—— 1808, *The Works of John Dryden: Now First Collected in Eighteen Volumes,* Vol. 12, London: Printed for William Miller.

Dryden, John, Thomas Shadwell, and John Crown 1674, "The Preface", in *Notes and Observations on The Empress of Morocco,* London.

Duck, Stephen 1764, *Poems on Several Occasions,* 4th ed., London: Printed for John Rivington, et al.

Ducrot, Oswald 1984, *Le dire et le dit,* Paris: Minuit.

D'Urfey, Thomas 1682, *Butler's Ghost: Or, Hudibras. The Fourth Part,* London: Printed for Joseph Hindmarsh.

Edgeworth, Maria 1848, *Tales and Novels,* Vol. 1, London: Whittaker and Co.

Egerton, Sarah Fyge 1686, "To the Reader", in *The Female Advocate: or, an Answer to a Late Satyr,* London: Printed for John Taylor.

—— 1706, *Poems on Several Occasions, Together with a Pastoral,* London: Printed by J. Nutt.

Emmons, Richard 1830, *The Fredoniad; Or, Independence Preserved,* 2nd ed., Vol. 1, Philadelphia: William Emmons.

Estes, Douglas 2015, "Rhetorical Peristaseis (Circumstances) in the Prologue of John", *The Gospel of John as Genre Mosaic,* edited by Kasper Bro Larsen, Vol. 3, pp. 191-207.

Evelyn, John 1656, “The Interpreter to Him that Reads”, in *An Essay on the First Book of T. Lucretius Carus De rerum natura*, interpreted and made English verse by J. Evelyn, London: Printed for Gabriel Bedle and Thomas Collins.

Farquhar, George 1699, *The Adventures of Covent-Garden, in Imitation of Scarron's City Romance*, London: Printed for R. Standfast.

Fern, Fanny 1855, *Ruth Hall: A Domestic Tale of the Present Time*, New York: Mason Brothers.

Fielding, Henry 1743, *Miscellanies*, Vol. 1, London: Printed for the Author.

—— 1780, *The History of the Adventures of Joseph Andrews, and of His Friend Mr. Abraham Adams*, London: Printed for J. Davies, et al.

—— 1859, *The History of Tom Jones, a Foundling*, New York: Derby & Jackson.

Finlay, John 1804, *Wallace; Or, the Vale of Ellerslie*, 2nd ed., Glasgow: Printed for R. Chapman.

Flaubert, Gustave 1892, *Madame Bovary: Provincial Manners*, translated from the French édition définitive by Eleanor Marx-Aveling, London: W. W. Gibbings.

Forbes, Duncan 1830, “Preface”, in *The Adventures of Hatim Taï*, translated from the Persian by Duncan Forbes, London: Printed for the Oriental Translation Fund.

French, James Strange 1834, *Sketches and Eccentricities of Col. David Crockett of West Tennessee*, London: O. Rich.

Garth, Samuel 1812, “Preface”, in *Ovid's Metamorphoses*, translated from the Latin by Dr. Garth, and others, Vol. 1, London: Suttaby, Evance, and Fox.

Gaspey, Thomas 1821, *Calthorpe; Or, Fallen Fortunes*, Vol. 1, London: Printed for Longman, et al.

Gautier, Théophile 1857, *Mademoiselle de Maupin*, nouvelle édition revue et corrigée, Paris: Charpentier.

Gervinus, Georg Gottfried 1875, *Shakespeare Commentaries*, translated under the author's superintendence by F. E. Bunnett, new ed., revised by the translator, London: Smith, elder & Co.

Godwin, William 1832, *Fleetwood: Or, the New Man of Feeling*, London: Richard Bentley.

Goethe, Johann Wolfgang von 1798, „Einleitung", in *Propyläen: eine periodische Schrift*, Bd. 1, Stück 1, Tübingen: J. G. Cotta.

Golding, Arthur 1567, "Too the Reader", in *The. xv. Bookes of P. Ouidius Naso, entytuled Metamorphosis*, translated oute of Latin into English by Arthur Golding, London: Imprynted by Willyam Seres. (*Shakespeare's Ovid: Being Arthur Golding's Translation of the Metamorphoses*, edited by W. H. D. Rouse, London: At the De La More Press, 1904)

Goulburn, Edward 1810, *The Pursuits of Fashion: A Satirical Poem*, London: Printed for J. Ebers.

Graves, Richard 1774, *The Spiritual Quixote, or, The Summer's Ramble of Mr. Geoffry Wildgoose*, Vol. 1, London: Printed for J. Dodsley.

—— 1779, *Columella; Or, the Distressed Anchoret*, Vol. 1, London: Printed for J. Dodsley.

Greimas, Algirdas Julien 1970, *Du sens: essais sémiotiques*, Paris: Seuil.

Gribben, Alan 2011, "Introduction", in *Mark Twain's Adventures of Tom Sawyer and Huckleberry Finn*, The NewSouth Edition, edited by Alan Gribben, Montgomery: NewSouth Books.

Grier, Sydney Carlyon 1896, *An Uncrowned King: A Romance of High Politics*, New York and London: G. P. Putnam's Sons.

Griffin, Frederick 1854, *Junius Discovered*, Boston: Little, Brown and Co.

Guérin de Bouscal, Guyon 1640, *La mort de Cleomenes, roy de Sparte*, Paris: Chez Antoine de Sommaville.

Gutiérrez, Valentín Llanos 1826, *Sandoval; Or, the Freemason*, Vol. 1, London: Henry Colburn.

Harington, John 1634, "Preface"; "Advertisement", in *Orlando Furioso in English Heroical Verse by Sr. John Harington*, London: Printed for J. Parker.

Harrison, S. J. 1990, "The Speaking Book: The Prologue to Apuleius' *Metamorphoses*", *The Classical Quarterly*, Vol. 40, Issue 2 (December 1990), pp. 507-513.

Hay, William 1755, "Preface", in *Select Epigrams of Martial*, translated and imitated by William Hay, London: Printed for R. and J. Dodsley.

Haywood, Eliza Fowler 1729, "The Preface", in *The Fair Hebrew: Or, a True, but Secret History of Two Jewish Ladies, Who Lately Resided in London*, 2nd ed., London: Printed for J. Brindley, et al.

Hegel, Georg Wilhelm Friedrich 1971, *Vorlesungen über die Ästhetik*, herausgegeben von Rüdiger Bubner, Stuttgart: Reclam.

Helme, Elizabeth 1787, *Louisa; Or, the Cottage on the Moor*, Vol. 1, London: Printed for G. Kearsley.

Heynemann, Simon 1797, „Vorrede", in Ovidius, *Verwandlungen*, übersetzt von Heynemann, Frankfurt am Main: Bey Johann Christian Hermann.

Hickey, William (Martin Doyle) 1830, "Preface", in *Irish Cottagers*, Dublin: William Curry, Jun. and Co.

Hieronymus, Eusebius 1889, *Sancti Eusebii Hieronymi Opera Omnia*, accurante et denuo recognoscente J.-P. Migne, Tomus Nonus, Parisiis: apud Garnier Fratres.

Holden, Hubert Ashton 1848, "Ad lectorem", in *Aristophanis Comoediae Undecim*, textum ad fidem optimorum librorum emendatum notulisque subinde criticis exornatum usibus scholarum accommodabat

Hubertus Ashton Holden, Londini: Joannes Gulielmus Parker.

Holford, Margaret 1809, *Wallace; Or, the Fight of Falkirk,* London: Printed for T. Cadell and W. Davies.

Holmes, Oliver Wendell 1861, *Elsie Venner: A Romance of Destiny,* Vol. 1, Boston: Ticknor and Fields.

Howard, Robert 1700, "Preface", in *Five New Plays,* 2nd ed. corrected, London: Printed for Henry Herringman.

Howe, Edgar Watson 1883, "Preface", in *The Story of a Country Town,* Atchison: Howe & Co.

Hugo, Victor 1858, *Han d'islande,* tome 1, Paris: L. Hachette.

Humphreys, Samuel 1734, "Preface by the Translator", in *Peruvian Tales: Related in One Thousand and One Hours, by One of the Select Virgins of Cusco, to the Ynca of Peru,* translated from the Original French by Samuel Humphreys, London: S. Powell.

Jacobs, Harriet 1861, *Incidents in the Life of a Slave Girl,* Boston: Published for the Author.

Jemmat, Catherine 1766, "Introduction", in *Miscellanies, in Prose and Verse,* London: Printed for the Author.

Jerrold, William Douglas 1851, *St. Giles and St. James,* London: Bradbury and Evans.

Jonson, Ben 1870, *Sejanus, His Fall,* "To the Readers", in *The Works of Ben Jonson,* edited by Francis Cunningham, Vol. 1, London: Albert J. Crocker and Brothers.

—— 1908, *The New Inn, or, The Light Heart,* New York: H. Holt.

Kelly, Isabella 1794, *A Collection of Poems and Fables,* London: Printed for W. Richardson.

Kelly, Walter K. 1854, "Biographical Introduction", in *Erotica: The Poems of Catullus and Tibullus, and the Vigil of Venus,* a literal prose translation with notes, by Walter K. Kelly, London: Henry G. Bohn.

Knox, Vicesimus 1788, *Winter Evenings: Or, Lucubrations on Life and Letters,* Vol. 1, Dublin: Printed for

Chamberlaine, et al.

Kotzebue, August von 1805, *Erinnerungen von einer Reise aus Liefland nach Rom und Neapel*, Theil 1, Berlin: Bei Heinrich Frölich.

Laclos, Pierre Choderlos de 1782, *Les Liaisons dangereuses*, 1ère partie, Amsterdam: Chez Durand Neveu.

La Fontaine, Jean de 1755, *Fables choisies, mises en vers par J. de la Fontaine*, tome 1, Paris: Chez Desaint & Saillant et Durand.

Lakoff, Robin Tolmach 2003, "Nine Ways of Looking at Apologies: The Necessity for Interdisciplinary Theory and Method in Discourse Analysis", in *The Handbook of Discourse Analysis*, edited by Deborah Schiffrin, Deborah Tannen, and Heidi E. Hamilton, Malden: Blackwell, pp. 199-214.

Lane, Edward 1830, *The Fugitives; Or, a Trip to Canada*, London: Effingham Wilson.

Langbaine, Gerard 1688, "The Preface", in *Momus Triumphans; Or, The Plagiaries of the English Stage*, London: Printed for Nicholas Cox.

Lanier, Sidney 1867, *Tiger-Lilies*, New York: Hurd and Houghton.

Lanigan, Richard 1888, "Explanatory", in *They Two, or, Phases of Life in Eastern Canada, Fifty Years Ago*, Montreal: Printed by John Lovell & son.

Lanyer, Aemilia 1993, *The Poems of Aemilia Lanyer: Salve Deus Rex Judaeorum*, edited by Susanne Woods, Oxford: Oxford University Press.

Lausberg, Heinrich 1960, *Handbuch der literarischen Rhetorik: eine Grundlegung der Literaturwissenschaft*, Zweite, durch einen Nachtrag vermehrte Auflage, 2 Bde., München: Max Hueber.

Lawrence, Herbert 1773, *The Passions Personify'd, in Familiar Fables*, London: Printed for J. Whiston and M.

Lawrence.

Leapor, Mary 1748, *Poems upon Several Occasions*, London: Printed by J. Roberts.

—— 1751, *Poems upon Several Occasions*, The second and last volume, London: Printed by J. Roberts.

Le Noir, Elizabeth Anne 1804, *Village Anecdotes; Or, the Journal of a Year, from Sophia to Edward*, Vol. 1, London: Printed for Vernor and Hood.

Lesage, Alain-René 1868, *Œuvres de Lesage*, Paris: Chez Firmin Didot frères, fils et Cie.

Lewis, William Lillington 1767, "The Preface", in *The Thebaid of Statius*, translated into English Verse, with Notes and Observations, Oxford: Printed at the Clarendon Press.

Liebeskind, Dorothea Margarethe 1784, *Maria: eine Geschichte in Briefen*, Leipzig: Weidmanns Erben und Reich.

Linton, Elizabeth Lynn 1861, *Witch Stories*, London: Chapman and Hall.

—— 1864, *The Lake Country*, London: Smith, Elder and Co.

Lockwood, Ralph Ingersoll 1835, *The Insurgents*, Vol. 1, Philadelphia: Carey, Lea & Blanchard.

Lord Dunsany 1912, "Preface", in *The Book of Wonder: A Chronicle of Little Adventures at the Edge of the World*, London: Elkin Mathews.

Lucretius, Venice: Aldus Manutius and Andreas Torresanus, 1515.

Marana, Giovanni Paolo 1707, *The Fifth Volume of Letters Writ by a Turkish Spy, Who Lived Five and Forty Years, Undiscover'd, at Paris*, translated by W. Bradshaw, London: Printed for H. Rodes, et al.

Marivaux, Pierre de 1756, « Avertissement », in *La vie de Marianne*, nouvelle éd., tome 1, Paris: Chez Prault et fils libraires.

Marjoribanks, John 1784, *Trifles in Verse*, Vol. 1, Kelso: Printed for the Author.

Marx, William 2018, *The Hatred of Literature*, translated by Nicholas Elliott, Cambridge: Belknap Press of Harvard University Press.

Mathews, Eliza Kirkham 1785, *Constance*, Vol. 1, London: Printed for Thomas Hookham.

Maupassant, Guy de 1888, *Pierre & Jean*, 4ᵉ éd., Paris: Paul Ollendorff.

Memoirs of the Life of Colonel Hutchinson, edited from the original manuscript by Julius Hutchinson, revised with additional notes by C. H. Firth, Vol. 2, London: J. C. Nimmo, 1885.

Millet, Baudouin 2007, *« Ceci n'est pas un roman »: l'évolution du statut de la fiction en Angleterre de 1652 à 1754*, Louvain: Peeters.

Moore, Alicia 1854, *Rosalind and Felicia; Or, the Sisters*, London: Richard Bentley.

Moore, Thomas 1844, "Preface to the First Volume of the First Edition", in *The Life of Lord Byron*, London: John Murray.

More, Hannah 1778, *Essays on Various Subjects: Principally Designed for Young Ladies*, 2nd ed., London: Printed for J. Wilkie.

—— 1810, *Cœlebs in Search of a Wife: Comprehending Observations on Domestic Habits and Manners, Religion and Morals*, Philadelphia: Printed by Thomas & William Bradford.

M. Valerii Martialis Epigrammatum Libri, Tomus 1, Parisiis: apud Joseph. Barbou, 1754.

Neal, John 1819, *The Battle of Niagara*, 2nd ed. enlarged, Baltimore: N. G. Maxwell.

Nott, John 1795, "The Preface", in *The Poems of Caius Valerius Catullus, in English Verse*, with the Latin text revised, and classical notes, Vol. 1, London: Printed for J. Johnson.

Oehlenschläger, Adam 1850, *Meine Lebens-Erinnerungen,* Bd. 1, Leipzig: Carl B. Lorck.

Opie, Amelia 1802, *The Father and Daughter, a Tale, in Prose,* 3rd ed., London: Printed for T. N. Longman and O. Rees.

Owenson, Sydney 1827, *The O'Briens and the O'Flahertys,* Vol. 1, London: Henry Colburn.

Paddock, Mrs. A. G. 1879, *In the Toils; Or, Martyrs of the Latter Days,* Chicago: Shepard, Tobias & Co.

Page, Thomas Nelson 1894, *Pastime Stories,* New York: Harper & Brothers.

Paget, William 1745, *The Humours of the Fleet,* Birmingham: Printed for the Author.

Paine Jr., Robert Treat 1812, *The Works, in Verse and Prose,* Boston: J. Belcher.

Paley, Frederick Apthorp 1868, "To the Reader", in *M. Val. Martialis Epigrammata Selecta: Select Epigrams from Martial,* with English Notes by F. A. Paley and W. H. Stone, London: Whittaker & Co. and George Bell.

Parr, John Hamilton 1821, *My Book, a Miscellaneous Assortment of Fragments, by N. Aaron Philomirth,* Liberpool: W. Grapel.

Paynter, David William 1813, *The History and Adventures of Godfrey Ranger,* Vol. 1, Manchester: Printed by R. & W. Dean.

Poe, Edgar Allan 1917, *The Complete Poems of Edgar Allan Poe,* edited by J. H. Whitty, Boston / New York: Houghton Mifflin / Riverside Press.

Pope, Alexander 1747, "Preface", in *The Works of Shakespear in Eight Volumes,* with a Comment and Notes, Critical and Explanatory by Mr. Pope and Mr. Warburton, Vol. 1, London: Printed for J. and P. Knapton, et al.

Porter, Anna Maria 1804, *The Lake of Killarney*, Vol. 1, London: Printed for T. N. Longman and O. Rees.

Prévost, Antoine François (Abbé Prévost) 1735, *Le Doyen de Killerine, histoire morale*, 1ère partie, Paris: Chez Didot.

Pryce, Richard 1887, *An Evil Spirit*, Vol. 1, London: T. Fisher Unwin.

Queen, Ellery 1932, "Foreword", in *The Greek Coffin Mystery*, New York: Frederick A. Stokes Company.

Raleigh, Walter 1908, *Johnson on Shakespeare: Essays and Notes Selected and Set Forth with an Introduction*, London: Henry Frowde.

Ramsay, Andrew Michael 1763, *The Travels of Cyrus*, Glasgow: Printed by James Knox.

Ranger, Honest 1760, *Ranger's Progress: Consisting of a Variety of Poetical Essays, Moral, Serious, Comic, and Satyrical*, London: Printed for the Author.

Rayner, William 1767, *Miscellanies in Prose and Verse, Original and Translated*, Ipswich: Printed for the Author.

Reeve, Clara 1769, *Original Poems on Several Occasions*, London: Printed for W. Harris.

—— 1807, *The Old English Baron: A Gothic Story*, 8th ed., London: Printed for J. Mawman, et al.

Rowson, Susanna 1794, *Mentoria; Or the Young Lady's Friend*, Vol. 1, Philadelphia: Printed for R. Campbell.

Sabin, Elijah Robinson 1816, *The Life and Reflections of Charles Observator*, Boston: Printed by Rowe & Hooper.

Sainte-Beuve, Charles-Augustin 1835, *Volupté*, Bruxelles: Louis Hauman et Compie.

Scăunașu, Ioana-Florentina 2014, "The Polyphony of Verbal Irony", *European Landmarks of Identity*, Vol. 15, pp. 83-90.

Scheffel, Joseph Victor von 1873, *Ekkehard: eine Geschichte aus dem zehnten Jahrhundert,* Stuttgart: J. B. Metzler'schen Buchhandlung.

Schlegel, Christiane Karoline 1778, *Düval und Charmille: ein bürgerlich Trauerspiel in fünf Aufzügen,* Leipzig: Bey Weidmanns Erben und Reich.

Scott, Helenus 1782, *The Adventures of a Rupee,* London: Printed for J. Murray.

Scott, Walter 1823, *Ivanhoe,* 4th American ed., Vol. 1, Philadelphia: Thomas Desilver.

—— 1839, *Waverley, or 'Tis Sixty Years Since,* with the author's last notes and additions, Paris: Baudry's European Library.

—— 1884, "Introduction", in *The Lay of the Last Minstrel,* New York: Thomas Y. Crowell & Co.

Sellar, William Young 1884, "Preface", in *Extracts from Martial: For the Use of the Humanity Classes in the Universities of Edinburgh and Glasgow,* with an Introduction by W. Y. Sellar, Edinburgh: James Thin.

Shadwell, Thomas 1691, *The Virtuoso,* London: Printed for Henry Herringman.

Shakespeare, William 1968, *Richard III,* edited for the syndics of the Cambridge University Press by John Dover Wilson, Cambridge: Cambridge University Press.

Shaw, W. F. 1882, *Juvenal, Persius, Martial, and Catullus,* London: Kegan Paul, Trench & Co.

Sidney, Philip 1893, *The Countess of Pembroke's Arcadia,* London: Sampson Low Marston and Co.

Smedley, Frank Edward 1853, *The Fortunes of the Colville Family; Or, a Cloud and Its Silver Lining,* London: George Hoby.

Smith, Charlotte 1792, *Desmond,* Vol. 1, London: Printed for G. G. J. and J. Robinson.

—— 1795, *The Banished Man,* 2nd ed., Vol. 1, London: Printed for T. Cadell, Jun. and W. Davies.

—— 1796, *Marchmont*, Vol. 1, London: Printed for Sampson Low.

Southworth, Emma Dorothy Eliza 1854, *The Wife's Victory; And Other Nouvellettes*, Philadelphia: T. B. Peterson.

Spedon, Andrew Learmont 1861, *Tales of the Canadian Forest*, Montreal: John Lovell.

Spenser, Edmund 1909, *Spenser's Faerie Queene*, edited by J. C. Smith, Vol. 1, Oxford: Clarendon Press.

Stagg, John 1810, "Prefatory Apology", *The Minstrel of the North*, London: Printed for the Author.

Stendhal 1894, *Lucien Leuwen*, Paris: E. Dentu.

Stoker, Bram 1899, *Dracula*, New York: Doubleday & McClure.

Swift, Jonathan 1803, *The Works of the Rev. Jonathan Swift*, Vol. 3, London: J. Johnson, et al.

Tasso, Torquato 1852, *Le lettere di Torquato Tasso*, Vol. 1, Firenze: Felice le Monnier.

Taylor, John Tinnon 1943, *Early Opposition to the English Novel: The Popular Reaction from 1760 to 1830*, New York: King's Crown Press.

The Fair Concubine: Or, the Secret History of the Beautiful Vanella, London: Printed for W. James, 1732.

The Temple Beau; Or, the Town Coquets, 2nd ed., London: Printed for W. Owen and E. Baker, 1754.

Thruston, Charles T. 1834, *The Sister's Tragedy*, London: G. & W. Nicol and J. Miller.

Titi Lucretii Cari De rerum natura libri sex, Parisiis: in Gulielmi Rouillij et Philippi G. Rouillij Nep., 1563.

Titi Lucretii Cari De rerum natura libros sex, interpretatione et notis illustravit Michael Fayus, Jussu Christianissimi Regis in usum Serenissimi Delphini, Parisiis: apud Federic Leonard, 1680.

T. Lucreti Cari De rerum natura libri sex, mendis innumerabilibus liberati; & in pristinum paenè, veterum potissimè librorum ope ac fide, ab Oberto Gifanio Burano iuris studioso, restituti, Antwerpen: Ex officina

Christophe Plantin, 1566.

T. Lucretii Cari libri sex nuper emendati, Venezia: apud Aldum, 1500.

Todd, Elizabeth 1788, *The History of Lady Caroline Rivers*, Vol. 1, London: Printed for the Author.

Tressell, Robert 2018, "Preface", in *The Ragged Trousered Philanthropists*, Frankfurt am Main: Outlook Verlag.

Tuck, Elizabeth 1823, *Vallis Vale, and Other Poems*, London: Sold by Longman, et al.

Tyler, Margaret 1578, "M. T. to the Reader", in *The Mirrour of Princely Deedes and Knighthood*, London: Imprinted by Thomas East.

Usborne, Thomas Henry 1842, *Tales of the Braganza; With Scenes and Sketches*, London: Cradock and Co.

Vickery, Sukey 1803, *Emily Hamilton, a Novel*, Worcester: Printed by Isaiah Thomas, Jun.

Walpole, Horace 1798, *The Works of Horatio Walpole, Earl of Orford*, Vol. 2, London: Pall-Mall, et al.

Walton, Kendall L. 1970, "Categories of Art", *The Philosophical Review*, Vol. 79, No. 3 (July 1970), pp. 334-367.

Warren, Caroline Matilda 1828, *The Gamesters; Or Ruins of Innocence*, Boston: J. Shaw.

Warton, Thomas 1754, *Observations on the Faerie Queene of Spenser*, London: Printed for R. and J. Dodsley and J. Fletcher.

Wilson, W. Daniel 1981, "Readers in Texts", *PMLA*, Vol. 96, No. 5 (October 1981), pp. 848-863.

Wiseman, Nicholas 1886, *Fabiola; Or, the Church of the Catacombs*, New York, Cincinnati, and St. Louis: Benziger Brothers.

Wolferston, Francis 1661, "To the Entertaining Reader", in *The Three Books of Publius Ovidius Naso, De Arte*

Amandi, translated, with historical, poetical, and topographical annotations by Francis Wolferston, London: Printed for Joseph Cranford.
Wood, George 1825, *The Subaltern Officer*, London: Septimus Prowett.
Wordsworth, William and Samuel Taylor Coleridge 1911, *Lyrical Ballads, 1798*, edited by Harold Littledale, London: Henry Frowde.
Zangwill, Israel 1895, "Introduction", in *The Big Bow Mystery*, Chicago and New York: Rand, McNally & Company.
Zäunemann, Sidonien Hedwig 1738, „Vorrede", in *Poetische Rosen in Knospen*, Erfurt: Johann Heinrich Nonne.
Zola, Emile, *Thérèse Raquin*, La Bibliothèque électronique du Québec, Vol. 38, Ver. 2.01 : https://beq.ebooksgratuits.com/vents/zola-raquin.pdf

邦訳文献

イーザー、W 一九八二『行為としての読書——美的作用の理論』轡田収訳、岩波書店（岩波現代選書）。

オウィディウス 一九九五『恋の技法』樋口勝彦訳、平凡社（平凡社ライブラリー）。

オースティン、J・L 一九七八『言語と行為』坂本百大訳、大修館書店。

クルツィウス、E・R 一九七一『ヨーロッパ文学とラテン中世』南大路振一・岸本通夫・中村善也訳、みすず書房。

ジュネット、ジェラール 二〇〇一『スイユ——テクストから書物へ』和泉涼一訳、水声社（叢書記号学的実践）。

バウムガルテン、アレクサンダー・ゴットリープ 二〇一六『美学』松尾大訳、講談社（講談社学術文庫）。

バフチン、ミハイル 一九六八『ドストエフスキイ論――創作方法の諸問題』新谷敬三郎訳、冬樹社。

―― 一九九五『ドストエフスキーの詩学』望月哲男・鈴木淳一訳、筑摩書房（ちくま学芸文庫）。

ブース、ウェイン・C 一九九一『フィクションの修辞学』米本弘一・服部典之・渡辺克昭訳、書肆風の薔薇（叢書記号学的実践）。

モンテーニュ 一九七〇『随想録』（全二巻）、関根秀雄訳、新潮社。

ロラン、ロマン 一九六五『ベートーヴェンの生涯』片山敏彦訳、岩波書店（岩波文庫）。

日本語文献（古典作品については初版を掲げる）

小熊秀雄 一九四七『流民詩集』三一書房。
―― 一九九〇「魔女」、『新版 小熊秀雄全集』第一巻、創樹社。 ＊底本は手書き原稿
河上肇 一九一七『貧乏物語』弘文堂書房。
許広平 一九五五『暗い夜の記録』安藤彦太郎訳、岩波書店（岩波新書）。
佐藤信夫・佐々木健一・松尾大 二〇〇六『レトリック事典』大修館書店。
太宰治 一九四二『老ハイデルベルヒ』竹村書房。
谷崎潤一郎 一九一四『甍』鳳鳴社。
土井晩翠 一八九九『天地有情』博文館。
徳田秋声 一九〇五『花たば』日高有倫堂。
夏目漱石 一九一二『彼岸過迄』春陽堂。
船山馨 一九四八『雨季』銀座出版社。

松村益二 一九三八『一等兵戦死』春秋社。
松山高 一九四八『銀の玉』文林堂。 ＊上野林平の筆名

＊以下、文中で言及される西洋の古典作品について、代表的な邦訳を掲げる。

アプレイウス『黄金のろば』（全二冊、呉茂一・国原吉之助訳、岩波書店（岩波文庫）、一九五六―五七年）
アリストテレス『詩学』（三浦洋訳、光文社（光文社古典新訳文庫）、二〇一九年）
――『弁論術』（戸塚七郎訳、岩波書店（岩波文庫）、一九九二年）
エピクテトス『要録』（『語録 要録』鹿野治助訳、中央公論新社（中公クラシックス）、二〇一七年）
オウィディウス『悲しみの歌』（『悲しみの歌／黒海からの手紙』木村健治訳、京都大学学術出版会（西洋古典叢書）、一九九八年）
――『恋の歌』（『ローマ恋愛詩人集』中山恒夫編訳、国文社（アウロラ叢書）、一九八五年）
――『恋の技法』（樋口勝彦訳、平凡社（平凡社ライブラリー）、一九九五年）
――『変身物語』（全二冊、大西英文訳、講談社（講談社学術文庫）、二〇二三年）
シェイクスピア、ウィリアム『ハムレット』（小田島雄志訳、白水社（白水Uブックス）、一九八三年）
――『リチャード三世』（小田島雄志訳、白水社（白水Uブックス）、一九八三年）
スタティウス『シルウァエ』（邦訳なし）
――『テーバイス』（邦訳なし）
フラウィウス・ヨセフス『ユダヤ戦記』（全三冊、秦剛平訳、筑摩書房（ちくま学芸文庫）、二〇〇二年）
プラトン『イオン』（森進一訳、『プラトン全集』第一〇巻、岩波書店、一九七五年）
――『国家』（全二冊、藤沢令夫訳、岩波書店（岩波文庫）、二〇〇八年（改版））

――『パイドロス』(藤沢令夫訳、岩波書店(岩波文庫)、二〇一〇年(改版))
ペトロニウス『サテュリコン』(『サテュリコン――古代ローマの諷刺小説』国原吉之助訳、岩波書店(岩波文庫)、一九九一年)
マルティアリス『エピグラム集』(『マールティアーリスのエピグランマタ』全二巻、藤井昇訳、慶應義塾大学言語文化研究所、一九七三―七八年)

あとがき

大学在職中は授業準備に多くの時間を要したので、あまり研究の時間がとれなかったが、定年退職以後、ようやく研究に十分な時間がとれるようになった。その最初の成果が本書である。

本書の対象であるパラテクストといえば、「序論」で言及したジュネットの著書を挙げないわけにはいかないだろう。パラテクストをめぐる諸問題を包括的に扱い、このトピックに関するその後の研究の口火を切った意義はいくら強調してもしすぎることはない。しかしそれに触発されて公表された多くの後続研究は、限られた作品を限られた切り口で論じる性格のものが多く、あまり包括的ではない。それに対して本書は包括的であることを目指す点でジュネットと共通する。しかし序文での説得のあり方を説明する諸理論の整理と、それをめぐって序文での説得が試みられる係争点の整理という切り口はジュネットとは異なる。

むろん仕残した仕事は多い。レトリックや言語行為という視点はテクストに焦点を合わせるものであるため、テクストが関係する宗教的、政治的、社会的、道徳的、経済的、イデオロギー的諸条件との関係は背景に退かざるをえなかった。また、他のテクスト——それが付随する本体テクストや他のパラテクスト、それのひきがねとなったテクスト（攻撃側にも強力な論理とレトリックがあることは言うまでもない）、それの影響や受容の結果であるテクスト——との関係も原則として考察の外に置いた。著者の社会的ステータスとの関係にもあまり触れられなかった。パラテクストにおける語り手の問題についてもそうである（序文の語り手は現実の著者である場合が多いが、常にそうであるわけではない。しかし本書では語り手が誰であれ、その言語行為を解明するという方針を貫いた）。以上はいずれもパラテクストの考察にとって重要な問題ではあるが、主題化することは本書の範囲を超えるからである。

本書を書く動機となったのは、バウムガルテン『美学』（講談社学術文庫）の出版で学術図書編集部の互盛央さんにお世話になっていたころ、次は選書メチエとして一般向けのものを書いてみないかというお誘いを受けたことだった。自分の好きなように書くことができたのは、「楽しみながら」書くことを勧められた互さんのおかげである。編集、出版の労と合わせて、限りない感謝を捧げたい。

二〇二三年一〇月

松尾　大

松尾　大（まつお・ひろし）

一九四九年、三重県生まれ。東京大学大学院人文科学研究科博士課程美学藝術学専攻単位取得退学。成城大学助教授、東北大学教授、東京藝術大学教授を歴任。東京藝術大学名誉教授。専門は美学。

主な著書に、『レトリック事典』（共著、大修館書店）ほか。

主な訳書に、アレクサンダー・ゴットリープ・バウムガルテン『美学』（講談社学術文庫）、アーサー・C・ダントー『ありふれたものの変容——芸術の哲学』、リチャード・ウォルハイム『芸術とその対象』（以上、慶應義塾大学出版会）ほか。

〈序文《じょぶん》〉の戦略《せんりゃく》

文学作品《ぶんがくさくひん》をめぐる攻防《こうぼう》

二〇二四年 二月一三日 第一刷発行

著者 松尾《まつお》 大《ひろし》

発行者 森田浩章

発行所 株式会社 講談社
東京都文京区音羽二丁目一二―二一 〒一一二―八〇〇一
電話 (編集) 〇三―五三九五―三五一二
(販売) 〇三―五三九五―五八一七
(業務) 〇三―五三九五―三六一五

装幀者 奥定泰之

本文印刷 株式会社 新藤慶昌堂

カバー・表紙印刷 半七写真印刷工業 株式会社

製本所 大口製本印刷 株式会社

ISBN978-4-06-534598-6 Printed in Japan N.D.C.902 300p 19cm

講談社選書メチエの再出発に際して

講談社選書メチエの創刊は冷戦終結後まもない一九九四年のことである。長く続いた東西対立の終わりはついに世界に平和をもたらすかに思われたが、その期待はすぐに裏切られた。超大国による新たな戦争、吹き荒れる民族主義の嵐……世界は向かうべき道を見失った。そのような時代の中で、書物のもたらす知識が一人一人の指針となることを願って、本選書は刊行された。

それから二五年、世界はさらに大きく変わった。特に知識をめぐる環境は世界史的な変化をこうむったとすら言える。インターネットによる情報化革命は、知識の徹底的な民主化を推し進めた。誰もがどこでも自由に知識を入手でき、自由に知識を発信できる。それは、冷戦終結後に抱いた期待を裏切られた私たちのもとに差した一条の光明でもあった。

その光明は今も消え去ってはいない。しかし、私たちは同時に、知識の民主化が知識の失墜をも生み出すという逆説を生きている。堅く揺るぎない知識も消費されるだけの不確かな情報に埋もれることを余儀なくされ、不確かな情報が人々の憎悪をかき立てる時代が今、訪れている。

この不確かな時代、不確かさが憎悪を生み出す時代にあって必要なのは、一人一人が堅く揺るぎない知識を得、生きていくための道標を得ることである。

フランス語の「メチエ」という言葉は、人が生きていくために必要とする職、経験によって身につけられる技術を意味する。選書メチエは、読者が磨き上げられた経験のもとに紡ぎ出される思索に触れ、生きるための技術と知識を手に入れる機会を提供することを目指している。万人にそのような機会が提供されたとき初めて、知識は真に民主化され、憎悪を乗り越える平和への道が拓けると私たちは固く信ずる。

この宣言をもって、講談社選書メチエ再出発の辞とするものである。

二〇一九年二月　野間省伸